第6章 知らなきゃよかった！本当は怖いエトセトラ

※本書は、弊社より刊行した「知らなきゃよかった！ 本当は怖い雑学2018」（2018年3月）、「知ったら怖い衝撃の未来予想100」（2018年6月）、「医学と科学の常識を超えた戦慄の人体実験100」（2017年4月）を加筆・修正、再編集し、1冊にしたものです。

特集 知らなきゃよかった！

全国47都道府県ワーストランキング

第1章

知らなきゃよかった！本当は怖い日常生活

電車の「優先席」は事故の際、激しい損傷を受ける

連結付近は車両の中で最も弱い部分

日本の列車運行管理システムの精度は世界トップレベルだが、それでも事故はなくならない。自分で運転する車やバイクならいざしらず、我々乗客にとって電車事故を回避する方法はないように思えるが、過去の例から学ぶべき事柄がある。実は、プライオリティシートと呼ばれる「優先席」は、電車事故の際に最も損傷が激しい部分に設置されているのだ。

典型的な例が、１９８８年12月、ＪＲ東日本・総武線の東中野駅で発生した列車衝突事故である。この事故は停車中の下り列車に、後続電車が追突。２人が死亡、１１６人が重軽傷を負ったもの。ダイヤ全体が遅延しており、遅れを取り戻そうとした後続電車の運転士が停止信号を無視したのが原因だった。このとき、亡くなった２人のうち１名は後続電車の運転士で、もう１人はその車両の優先席に座っていた乗客だったそうだ。

２０１４年２月14日の深夜、東急東横線の元住吉駅構内で起きた列車の衝突事故も例外ではない。停

車中の電車に後続電車が追突、脱線したもので、乗客18人が打撲などのケガを負った。この事故を報じたニュース画面を見て、驚いた人もいるのではないだろうか。押しつぶされ、ペシャンコになった車両部分の窓に「優先席」の表示が躍っていたからだ。たまたま優先席に人がいなかったからよかったものの、その付近に乗っていたら単なるケガでは済まなかっただろう。

電車の構造上、車両と車両を連結する部分が弱いのは仕方がないこと。優先席は車両の前後にある連結部付近に設置されるため、結果、優先席が事故の際に激しい損傷を受けてしまうようだ。電車に乗る際は、このことを頭の隅に置いておいて損はないかもしれない。

元住吉駅の事故では優先席がペシャンコに

あくまで「怪しい人」を見つけるのが目的

バリウムによるガン検診の98%は誤診

日本人の死因の3分の1を占めるガン。世間では早期発見が第一と、定期健診を呼びかける声が大きい。では、万が一健診で「ガンの疑いあり」と診断されたら、どうすべきか。

ここに興味深いデータがある。1996年から2002年まで大阪がん循環器症予防センターで胃ガン検診を受けた43万人のうち、「陽性」とされたのは約4万人。しかし、その中で本当にガンだったのは、たったの782人だけ。確率1・9%。つまり、残り98%は誤診だったというわけだ。

ちなみに、ここで行われている胃ガン検診は、バリウムを飲んでからX線で写真を撮影し、不審な影がないか調べるというもの。その感度(ガンを見つけられる確率)は90%と高い。にもかかわらず、実際の数値は極めて信用性が低い。これは、そもそも自治体などで行われている検診(対策型検診)の目的は「怪しい人」を見つけて精密検査を受けさせることで、そこまで厳密さが求められてないからだと言われる。

２０１５年時点でバリウム検査による集団胃ガン検診は、全国で年間１千万人が受診しているという。が、その技術は古くてガン発見率が低いばかりか、受診者を危険に晒すものと批判する専門医も多い。実際、検診機器に挟まれる、あるいは固まったバリウムにより大腸に穴があくなどの事故での死亡例も少なくないらしい。こうした事情を受け、厚生労働省は、２０１６年度からの胃ガン検診に、これまで唯一推奨してきたバリウム検査に加え、内視鏡検査を推奨することを決めた。

バリウム検査で誤診が多いのは事実。ただ、本当に恐ろしい誤診は、ガンであるにもかかわらず命に問題なしと診断されることだ。２０１５年5月にこの世を去った俳優の今井雅之が、大腸ガンを腸の風邪と誤診されたように。

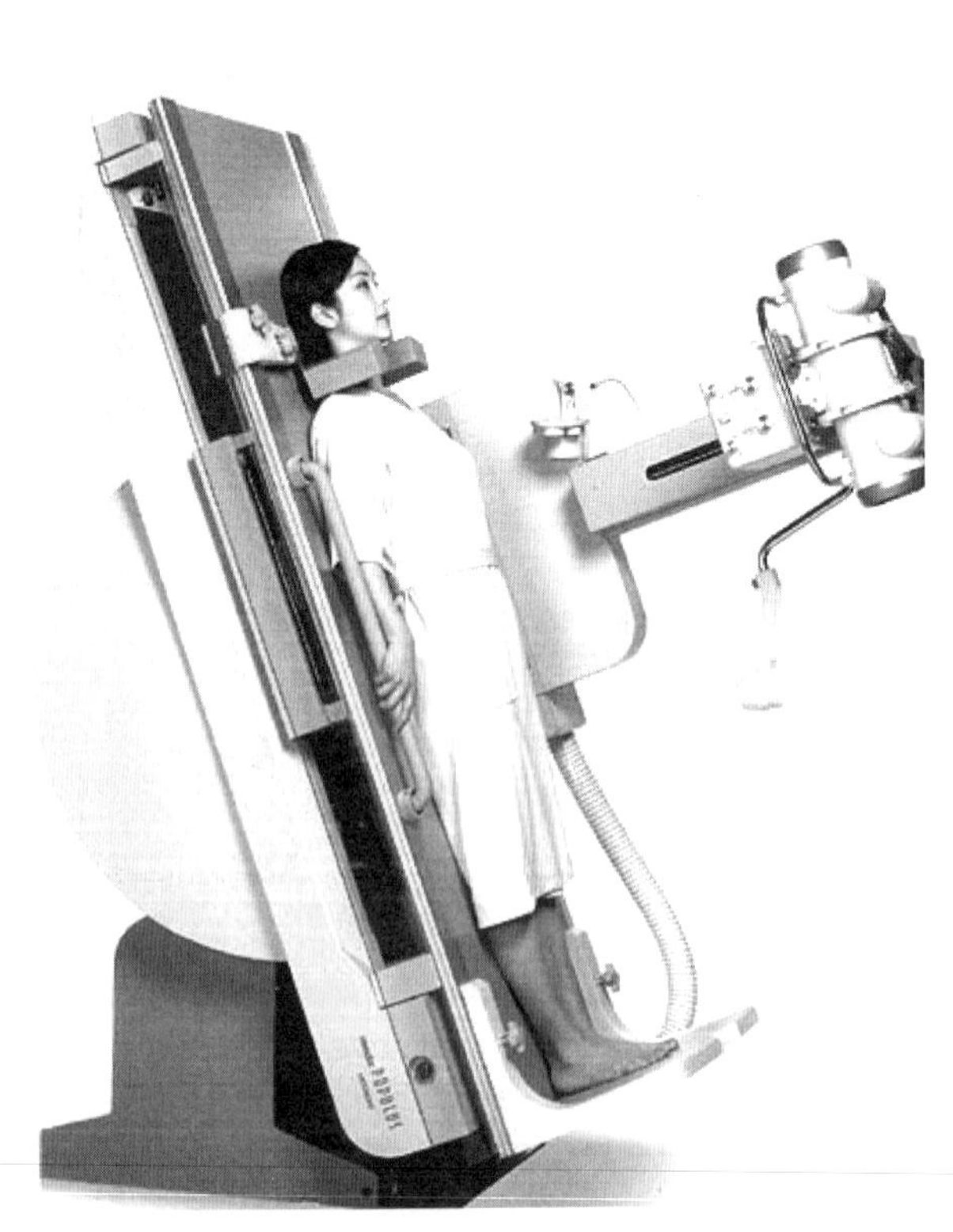

年間1千万人が受診しているバリウム検査

世界レベルでは、年間60万人が犠牲に

受動喫煙による国内の死亡者は年間1万5千人

2016年5月31日、世界禁煙デーのこの日、「国立がん研究センター」のグループが、他人のタバコの煙（副流煙）を吸い込む「受動喫煙」による日本国内での死亡者数が、年間およそ1万5千人に上ると発表した。これは、受動喫煙と病気の因果関係がわかっている4つの病気で、非喫煙者と比べたリスクや、職場や家庭での受動喫煙の割合の調査などから年間死亡数を推計したもの。病気別には、肺ガンが2千484人、心筋梗塞などの虚血性心疾患が4千459人、脳卒中が8千14人、乳幼児突然死症候群が73人と報告されている。研究グループによれば、この数字は受動喫煙の被害を受けていない人に比べ1・28倍高いという。

世界レベルで見てみると、WHO（世界保健機関）の調査では、受動喫煙を原因とした全世界の年間死亡人数は推定約60万人。職場の受動喫煙によって毎年世界でおよそ20万人の労働者の命が奪われているらしい（2004年調査）。

近年の嫌煙ムードで、愛煙家はどんどん肩身の狭い思いをしている。が、タバコの煙が周囲にどんな悪影響をもたらすのか知る人は少ない。すぐに現れる症状としては、目や喉の痛み、心拍数増加、咳き込む、手足の先の冷えなど。長期的には、心筋梗塞や狭心症で死亡する危険性が2倍以上になることが報告されている。また、妊婦が受動喫煙に晒されると、流産や早産の危険性が高くなったり、新生児の低体重化が起きる場合もある。

では、ベランダや喫煙所など、他の場所で吸っていれば受動喫煙は防げるかと思いきや、さにあらず。喫煙者がタバコを吸い終わった直後には、口や肺の中にタバコの煙がまだ残っているのだ。

ちなみに、２０１９年9月1日より東京都内の飲食店では、東京都受動喫煙防止条例により、店舗の出入り口付近の見やすい場所に、店内に喫煙できる場所があるか、または屋内禁煙かを正しく表示するよう義務化。２０２０年4月1日以降は、基準を満たした喫煙所を設置しない限り、店内での喫煙は一切禁止となる。

もはや犯罪と呼ぶべき行為

歯科医の4分の1が年収200万円以下

抜く必要のない歯を抜いて保険点数稼ぎ

日本全国いたる所に店舗を構えるコンビニ。2019年3月現在、その数は約5万7千店舗に上る。が、それを遥かに凌ぐのが歯科医院の数だ。2017年の厚生労働省の「医療施設動態調査」によると、全国の歯科医は約10万人あまり。歯科医院は右肩上がりで増え続け、約6万9千ヶ所に達した。保険診療だけで十分な収入が得られる歯科医の適正数は人口10万人あたり50人が目安とされるが、今や全国平均で約80人。特に東京都は10万人あたり約120人と突出している。

なぜ、これほどまでに歯科医が増えたのか。背景には大学歯学部の定員数の問題がある。診療科全ての医師を養成する医学部の定員約9千人の中で、歯学部の定員が占める割合は4分の1強の約2千50 0人。そもそも歯科医のたまごが多過ぎることに加え、進路も限られている。総合病院や大学病院で歯科を開設している所はごく僅か。結果、歯学部卒業生の多くが開業するという選択を採らざるをえないのだ。

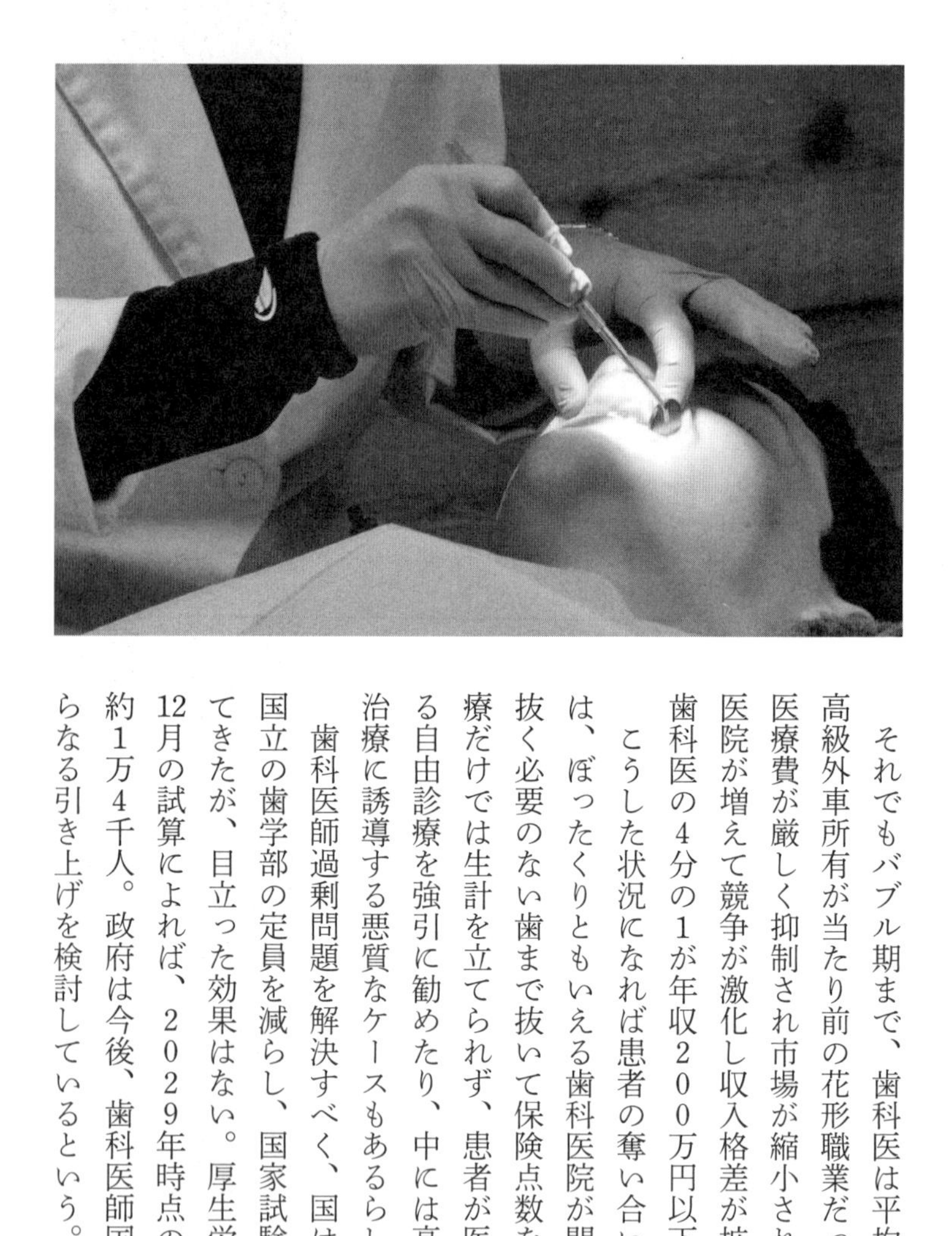

それでもバブル期まで、歯科医は平均年収2千万円で、高級外車所有が当たり前の花形職業だった。が、国の歯科医療費が厳しく抑制され市場が縮小されていく一方、歯科医院が増えて競争が激化し収入格差が拡大。今や、全国の歯科医の4分の1が年収200万円以下だという。

こうした状況になれば患者の奪い合いは当たり前。現在は、ぼったくりともいえる歯科医院が問題視されている。抜く必要のない歯まで抜いて保険点数を稼いだり、保険診療だけでは生計を立てられず、患者が医療費を全額負担する自由診療を強引に勧めたり、中には高額のインプラント治療に誘導する悪質なケースもあるらしい。

歯科医師過剰問題を解決すべく、国は2000年頃より国立の歯学部の定員を減らし、国家試験の合格基準を上げてきたが、目立った効果はない。厚生労働省の2016年12月の試算によれば、2029年時点の過剰歯科医師数は約1万4千人。政府は今後、歯科医師国家試験の基準のさらなる引き上げを検討しているという。

機器を使えば半分以上の人が助かるが…

心肺蘇生装置「AED」の稼働率は年間たったの4・4%

身近な人が不慮の事態で心肺停止に陥った場合、救急車が到着（通報から約8分が全国平均）するまでの心肺蘇生の有無が救命に大きく関わってくる。一般的に、人は心肺停止後、1分ごとに10%の割合で死亡率が上昇すると言われる。何も処置を施さなければ、救急隊員が駆けつけたときはすでに遅しという事態も珍しくない。

マウストゥマウス（口から口へ直接息を吹き込む人工呼吸法）や心臓マッサージなど、蘇生処置の方法はあるが、咄嗟のときに実践できる人は限られている。そこで、活用したいのが「ＡＥＤ」だ。これは血液を流すポンプ機能を失った状態の心臓に対して、電気ショックを与え正常なリズムに戻すための医療機器で、コンピュータにより自動的に心電図を解析し、音声により指示を出すので、誰でも簡単に操作可能。２０１８年現在、不特定多数の人が出入りする駅、学校、ホテルなど公共性の高い場所に約63万台が設置されている。

消防庁の発表によれば、2016年の1年間で一般市民が目撃した、心原性心肺機能停止の傷病者数は約2万5千人。このうち一般市民が心肺蘇生を実施したのは約1万3千600人で、心肺蘇生を受けた傷病者のうち1ヶ月後の生存率は16・1%と、心肺蘇生を実施しなかった場合の9・2%を大きく上回った。AEDを使用した場合、さらに数字は高く、1ヶ月後の生存率は54%、社会復帰率は46・1%だったそうだ。

いかにAEDに効果があるかは言わずもがなだが、問題はその稼働率だ。2016年の心肺蘇生実施者約1万3千600人のうち、AEDが使われたケースは1千103人で、全体の8%。全心肺停止者約2万5千人で換算すれば、4・4%にしかならない。逆にいえば、AEDを使わなかったため、95%以上が死亡、もしくは、より深刻な生存の危機に晒されたことになる。

約63万台というAEDの設置台数は決して少なくない。が、現実には、その設置場所はおろか、存在すら知らない人が多いのである。

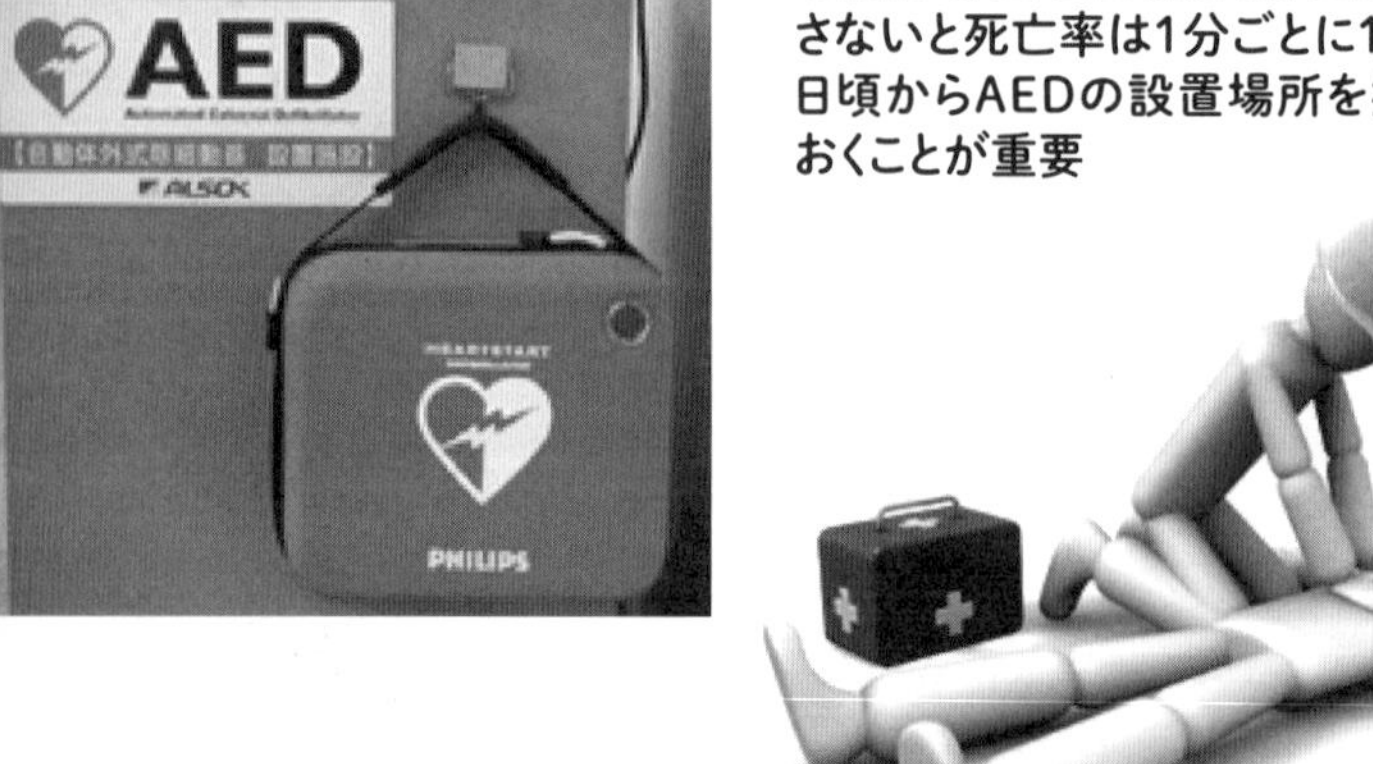

心肺が停止した場合、蘇生処置を施さないと死亡率は1分ごとに10%上昇。日頃からAEDの設置場所を把握しておくことが重要

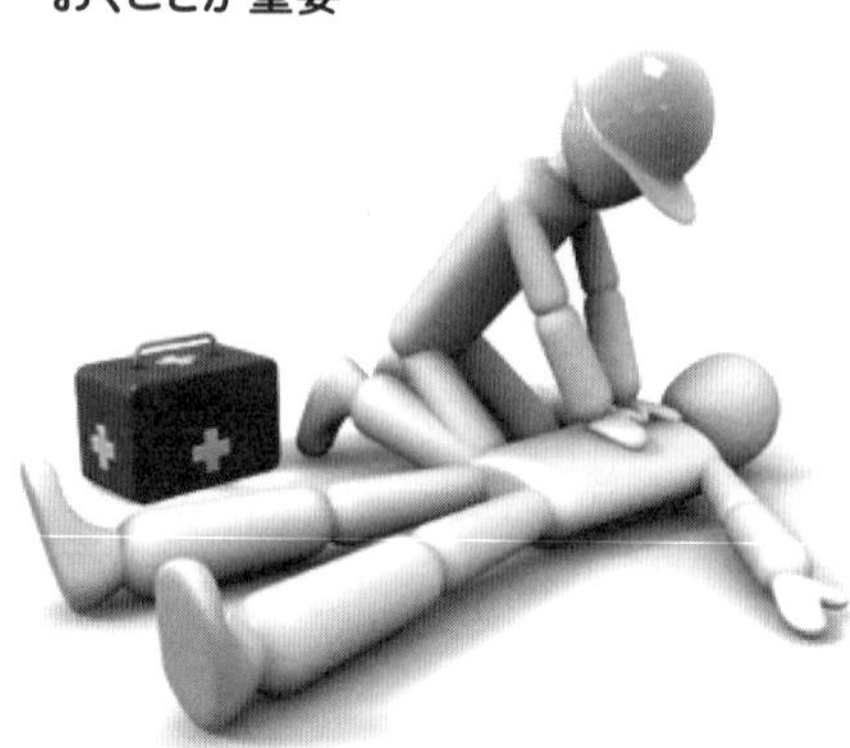

高所平気症、情緒不安定、流産、自立心の欠如

タワーマンションには危険がいっぱい潜んでいる

2016年4月10日14時50分頃、大阪市阿倍野区松崎町の43階建てマンションの敷地内で、小さな女の子が倒れているのを住人の男性が発見した。大阪府警阿倍野署によると、女児はマンションの最上階に住む小学1年生で、全身を強く打っており搬送先の病院で死亡が確認された。女児は直前まで家族と一緒に居間でアニメのＤＶＤを見ていたが、少し目を離した間に姿がわからなくなったという。同署は、高さ約1メートルの手すりがあるベランダに通じる窓が開いていたことから、女児が誤って転落した可能性が高いとみているそうだ。

高層階からの眺望、セキュリティや資産価値、充実の設備など、お金さえあれば「タワーマンション」に住んでみたいと考える人は少なくないだろう。が、このタワマン、住居・物件としての魅力とは裏腹、大きな危険を兼ね備えている。

前記の事故で疑問に思うのは、女児がなぜそんな高い場所のベランダに1人で出たのかという点だ。

通常の感覚なら恐怖で足がすくんでしまうのではないか、と。しかし、専門家によれば、幼少期から高い場所で生活している場合、高所に恐怖心を抱かない「高所平気症」の子供も少なくなく、興味のあるものがベランダの外にあれば、どんな恐ろしい行動でも取ってしまいがちなのだそうだ。

その他、タワマンの危険は挙げればきりがない。

◉高い場所からの眺望が日常化すると情緒不安定に陥る。

◉毎日、何十メートルもの高度を行き来すると、気圧差の変化が健康被害をもたらす。

◉上層階では風が強く、窓が開けられない。そのため、夏冬はエアコンなしの生活は不可能。

◉流産率が上昇し、6階以上だと20％強。

◉高層階に住んでいる子供は自立性が弱く、アレルギー体質に陥る傾向にある。

ちなみに、先進国の中でタワマンを盛んに造っているのは日本だけだ。イギリスでは１９７０年に「高層住宅に住むことは子供の健全な発育を阻害する」という調査が出て以来、ほとんど建てられていないそうだ。

先進国で高層マンションを盛んに建てているのは日本だけ

フェイスブックにアップした写真から複製可能

スマホのピース画像で指紋が盗まれる恐怖

友人などの集まりで、スマートフォンのカメラに向かってピースサイン。その写真をフェイスブックやインスタグラムなどのSNSにアップするのは、よくあることだ。が、その何気ない行為が自分のプライバシー・セキュリティを危険に晒すことになる事実をご存じだろうか。

問題は、ピースサインによって写真に写り込んだ指紋である。現在、スマートフォンのログインやマンションのオートロック解除など日常生活において、指紋認証が広く普及しているが、個々人の指紋がSNSなどにアップされることでこれが盗まれ、なりすましによる悪用が懸念されているのだ。

にわかには信じがたいが、2015年、政治家の記者会見で撮影された写真から、その政治家の親指の指紋を複製することに成功したドイツ人ハッカーが登場し、世界に衝撃を与えた。ハッカーが使ったのは、ドイツの国防相の親指を写した写真数枚。3メートルほどの距離から一般的なカメラで撮影したものと、別の機会に違う角度から撮影したものの2パターンあり、いずれも閲覧フリーの商用サイトか

らセレクト。こうして得た写真を、一般的な指紋読み取りセンサーにかけることで、国防相の指紋が複製できたのだという。

これを、特別な技術を持った海外のハッカーだからできたことと考えるのは甘い。今や、2千万ピクセルほどのデジタルカメラで5メートル以内の距離から撮影した指は、指紋を検出するに十分な解像度だという。2千万ピクセルといえば、現在のスマートフォン搭載カメラのスペックでも珍しくない。つまり、指紋の盗撮は理屈上、誰にでもできるというわけだ。

指紋はパスワードのように何度も変えられないため、不正対策の難しい生体認証だったが、テクノロジーの発達により、そのハードルは下がる一方だ。対策としては、安易にピースサインで撮影に臨まないこと。ポーズを取るなら逆ピースが賢明だろう。

**5メートル以内で
撮影した画像であれば、
誰でもハッキングできる**

完全無報酬、受講料・交通費も自己負担

相談員のなり手が少なく「いのちの電話」が存続の危機に

２０１７年9月11日、ＮＨＫが自殺予防に関するショッキングなニュースを報じた。自殺を考えるほどの悩みを抱えている人が、心を打ち明け24時間相談に乗ってもらえる窓口として知られる「いのちの電話」が存続の危機にあるという。理由は明白。肝心の相談員のなり手が少ないのだ。

番組で取り上げられていたのは「群馬いのちの電話」の現状である。高齢などを理由に辞める相談員の補充のため新たに相談員を募集したところ、30人の定員に対して6人の応募しかなかったという。

「いのちの電話」は１９５３年、世界に先駆けイギリスで始まり、日本では１９７１年に東京で開始された。２０１９年現在、日本全国に50の「日本いのちの電話連盟」加盟センターがあり、約6千１００人の相談員が活動している。２０１８年の相談件数は約64万件に上るという。

深刻な悩みに耳を傾け、適切な応答をするのは容易ではない。が、現場の相談員は、それを職業とする専門家ではなく全員がボランティアである。しかも、相談員になるためのハードルは実に高い。

番組で紹介された「群馬いのちの電話」の場合、まず2017年10月から2018年7月まで月3回、1回当たり2時間の講習を受けなければならない。受講料2万5千円は志願者の自己負担だ。さらにその後、約1年の実習があり、実力が認められて初めて相談員になる。もっとも、相談員になったところで報酬はゼロ。交通費も自己負担だ。割に合わないこと甚だしいが、「いのちの電話」によれば「専門家ではなく、似たような悩みや苦しみを味わったことのあるボランティアが、同じ目線に立って共に苦しむことに活動の意義がある」のだという。

これだけ社会に必要とされており、専門性の高い仕事ながら、ノーギャラという現実。このままでは相談員のなり手がいなくなり、「いのちの電話」自体がなくなってしまう可能性もないとはいえない。

相談員の数が少なく、電話がつながりにくいという問題も

ひとり親世帯の貧困率はOECD加盟国の中でダントツの1位

日本のシングルマザーの半数は年収122万円未満のワーキングプア

２０１９年9月、国税庁が発表した「民間給与実態統計調査」によれば、２０１８年の給与所得者数は全国で5千26万人で平均年収は約４４１万円。男女別にみると、給与所得者数は男性約3千万人で、女性が約2千80万人。働く数の割合は約6対4ながら、平均年収は男性が約５４５万円に対し女性が約２９３万円と、その差は2倍弱に広がる。

女性の収入が少ない原因の一つが雇用形態だ。女性は正社員になりづらく、派遣社員や非正規社員として働く人が多数いる。さらに、男性に比べて労働賃金が安く、正社員として働いていてもなかなか昇進・昇給ができないのが実情のようだ。

性別による賃金格差に加え、近年は未婚率が上昇し、単身で生活する女性が多い。配偶者の収入がなく、仮にひとり住まいで月々の家賃が必要となれば、その生活は決して緩くないだろう。

しかし、さらに深刻なのは、近年の離婚率の上昇によるシングルマザーの増加だ。厚生労働省が発

表した2016年度の「全国ひとり親世帯等調査」によると、日本の母子家庭は約123万世帯といわれ、統計によると、その平均年収は一般世帯の半分にも満たないそうだ。日本では貧困家庭の定義を「世帯年収約122万円未満」としているが、一般家庭での貧困率が15・1％であるのに対して、母子家庭が約9割を占める「ひとり親世帯」では58・7％まで跳ね上がる。つまり母子家庭の2世帯に1世帯以上が貧困に苦しんでいるのだ。この数字は、世界36ヶ国が加盟するOECD(経済協力開発機構)の中で最も高い。

幼い子供を持つシングルマザーの中には、時給1千円程度の仕事では生活が回らず、託児所付きの性風俗店で働いている例もあるという。シングルマザーの就業率は81・8％と高い。が、体を売らなければ暮らしが成り立たない現状は、あまりに悲惨といえるだろう。

我が国はそんなに不幸なのか？

世界幸福度ランキング日本は156ヶ国中58位

2019年3月20日、国連が最新の「世界幸福度ランキング」を発表した（左ページ参照）。これは、対象156ヶ国それぞれの国民約3千人に行ったアンケート調査から得られた回答をポイント化したもので、以下6項目が判断基準となる。

①1人当たり実質国内総生産（GDP）
②社会的支援の有無（困ったとき、いつでも助けてくれる親族や友人がいるか？）
③健康寿命（健康を最優先しているか？）
④人生選択の自由度（自分の生き方を自由に選択し、満足しているか？）
⑤寛容さ（過去1ヶ月間に慈善事業に寄付した金額はいくらか？）
⑥腐敗度（政府やビジネス界の汚職はないか？）

気になる日本の順位は過去最低の58位（2018年は54位、2017年は51位）。G7（世界の先進

7ヶ国）の最下位、ＯＥＣＤ（経済協力開発機構）加盟36ヶ国の28番目と低い。

しかし、このランキング、どこまで実態に即しているのだろう。社会保障が充実した北欧5ヶ国が全てトップ10入りしているのはわかるが、治安の悪いことで知られるメキシコ（23位）より果たして幸福度で劣っているのだろうか。アジアの中でも、ウズベキスタン（41位）やタイ（52位）より不幸なのだろうか。

4割弱にも上る非正規雇用、自殺者まで出す超過勤務の実態、貧しい社会的支援、高い貧困率、1千100兆円を超す国債残高。確かに日本社会は不安だらけだ。が、一方で安全な空気と水と食べ物があり、夜中でも女性が一人で歩ける。誰もが病院や歯医者に行け、駅のエスカレーターが故障せず動き、悲惨なテロ事件も起きない。判断項目にもよるが、世界で58位という順位以上に、日本は幸福で豊かな国なのではなかろうか。

ちなみに、この幸福度ランキング、アメリカの世論調査会社ギャラップも発表しており、2017年末のランキング（世界55ヶ国対象）では、1位フィジー、2位コロンビア、3位フィリピン。日本は、アメリカ、フランス、ドイツより上位の18位にランキングされている。

幸福度ランキング2019

第1位　フィンランド
第2位　デンマーク
第3位　ノルウェー
第4位　アイスランド
第5位　オランダ
第6位　スイス
第7位　スウェーデン
第8位　ニュージーランド
第9位　カナダ
第10位　オーストリア
第11位　オーストラリア
第12位　コスタリカ
第13位　イスラエル
第14位　ルクセンブルク
第15位　イギリス
第16位　アイルランド
第17位　ドイツ
第18位　ベルギー
第19位　アメリカ
第20位　チェコ
第21位　アラブ首長国連邦
第22位　マルタ
第23位　メキシコ
第24位　フランス
第25位　台湾
第26位　チリ
第27位　グアテマラ
第28位　サウジアラビア
第29位　カタール
第30位　スペイン
第31位　パナマ
第32位　ブラジル
第33位　ウルグアイ
第34位　シンガポール
第35位　エルサルバドル
第36位　イタリア
第37位　バーレーン
第38位　スロバキア
第39位　トリニダード・トバゴ
第40位　ポーランド
第41位　ウズベキスタン
第42位　リトアニア
第43位　コロンビア
第44位　スロベニア
第45位　ニカラグア
第46位　コソボ
第47位　アルゼンチン
第48位　ルーマニア
第49位　キプロス
第50位　エクアドル
第51位　クウェート
第52位　タイ
第53位　ラトビア
第54位　韓国
第55位　エストニア
第56位　ジャマイカ
第57位　モーリシャス
第58位　日本 ◀
第59位　ホンジュラス
第60位　カザフスタン

昔からの住人と新規住民との間で揉め事頻発

東京で最も〝ご近所トラブル〟が多い街は高級住宅地で知られる「世田谷区成城」

2017年5月12日、人気ポータルサイト「日刊SPA！」が「ご近所トラブルが多い街・ワースト5」と題された興味深い記事を配信した。

ランキングをつけたのは、ご近所トラブル案件を多く手掛ける弁護士の佐藤大和氏で、同氏によれば、東京で最も近所同士の揉め事が多いのは、意外にも高級住宅街として知られる、世田谷区の成城や玉川だという。以下、ワースト5を下から順に紹介すると、

第5位　足立区全域……東京23区で最も賃料が安いぶん住居の壁も薄く、子供の泣く声や夜の営みの音など、マンション内での騒音トラブルが頻発しているらしい。

第4位　江東区豊洲……マンション内でのご近所不倫やPTA不倫など男女トラブル多し。学校の数が多いため、子供が通うクラブチームのコーチと不貞を働く母親や、モンスターペアレント問題が多発しているそうだ。

第3位　東京スカイツリー周辺……街でいえば、墨田区の押上や錦糸町が該当するが、台東区、江東区も含まれる。これら下町では子供もエネルギッシュなので、学校内で容赦ないイジメに発展しがち。古参の住人と、東京の新名所近辺に越してきた新参者とのトラブルも少なくないという。

第2位　渋谷区恵比寿……ベンチャー系の経営者たちが多く住む恵比寿の高級マンションでは、ホームパーティがトラブルの火種に。うるさい、人の出入りが多くて迷惑などの苦情が数多く寄せられている。また、住民が捨てたブランド品目当てにゴミ捨て場が荒らされるトラブルも起きているそうだ。

第1位　世田谷区成城・玉川……東京23区で最も治安が良いイメージのある世田谷だが、昔からの住民たちの結束が強く、新しく来た人たちに対して閉鎖的になる傾向があり、両者間でのトラブルが絶えない。また、ピアノやバイオリンの音がうるさいなど、やや神経質ともいえる問題が多いのも特徴らしい。

ちなみに、ランキングを作成した佐藤氏によれば、東京でご近所トラブルが最も少ないのは文京区だという。

東京では田園調布と並ぶ高級住宅地で知られる成城だが、街として上等なぶん閉鎖的な傾向も指摘されている

65歳以上のドライバーが事故を起こす確率は10代20代より少ない

報道から受ける印象と現実は違う

2019年4月19日、東京都豊島区東池袋の東京メトロ東池袋駅付近の交差点で、赤信号を無視して横断歩道に突っ込んできた乗用車にはねられ母子2人が死亡、9人が負傷する事故が起きた。車を運転していたのは当時87歳の男性で、事故直後に息子に電話をかけ「アクセルが戻らなくなり、人をひいた」と説明。警視庁交通捜査課は事故から7ヶ月後の同年11月12日、運転手の男性を自動車運転処罰法違反（過失運転致死傷）容疑で東京地検に書類送検した。

ここ数年、高齢者ドライバーによる交通事故のニュースが相次いで報じられている。2018年に3千532件あった死亡事故のうち、75歳以上の運転者が過失の重い「第1当事者」になったケースは前年より42件増えて460件。全体の13・02％を占め、過去最高の割合となった。原因は「アクセルとブレーキの踏み間違いなど運転操作ミス」がトップで、以下「交差点で安全確認を怠ったなど安全不確認」「居眠りなどによる前方不注意」の順。警視庁では事故防止のため、2017年より、75歳以上の

よく目にするニュースだが、アクセルとブレーキの踏み間違いによる事故件数も、10代20代が最多

運転者の免許更新の際、認知機能検査と高齢者講習を義務づけるようになった。

総務省統計局の発表によれば、2018年10月1日時点で日本の総人口に占める65歳以上の割合は28・1％（約3千558万人）。過去に例のない高齢化社会で、交通事故もまた高齢者のドライバーの起こす割合が最も多いような印象を受ける。

しかし、現実は違う。警察庁が発表した年代別の免許保有者10万人当たりの事故件数の割合は、2009年から2018年までの10年間で、第1当事者となった世代は16〜19歳が突出して多く、それに続くのが20〜29歳、その次が80歳以上。70代は、他の年代とほとんど差はない。

死亡事故に関しての割合も最も多いのは16〜19歳で、次に80歳以上。20代と70代はほとんど変わらず、件数では20代と40代が最多である。

メディアの報道で、さも高齢者ばかりが事故を起こしているイメージを持ちがちだが、少なくとも統計上では間違っているのだ。

亡くなった人を目撃し、うめき声や泣き声を聞く

看護師の半数以上が病院内で心霊現象を体験している

心霊現象が起きる場所として真っ先に頭に浮かぶのが病院である。が、医療施設で働く看護師の半数以上が実際に超常現象を経験していることが、2017年4月、アメリカの医療科学雑誌『Journal of Scientific Exploration』で明らかになった。

同誌にレポートをまとめたアレハンドロ・パラ氏とポーラ・G・アマリージャ氏によれば、アルゼンチン国内の8つの主要な病院と医療機関で働く現役看護師100人にアンケート調査を行ったところ、その55%から、説明不可能な超常現象に1回以上遭遇したとの回答が得られたそうだ。

回答には「病院内で亡くなった人の幽霊を見た」「誰もいないはずの場所で妙な音や声、会話、泣き声、うめき声を聞いた」という声が多く寄せられ、中には患者のどこが悪いのかを〝直感〟で察知したことがあると答えた人もいたそうだ。また、24%が患者の臨死体験を報告し、さらに18%が宗教的な祈りや儀式によって患者が癒されるのを目の当たりにしたと回答したという。

しかし、これらの不思議な体験を持つ看護師たちは、いずれも一様に自然に受け入れているようで、特に驚いたりおびえる様子はない。彼らにとっては、職業柄、ごく当たり前のこととして捉えられているようだ。

2017年、集中治療室で働くカナダの医師が、心肺停止した臨床的な死が確認された患者の脳に活動が見られたという非常に不思議な事例を報告しているように、死は神経科学において、まだ解き明かされていない未開拓分野だ。ましてや、治療中の末期患者の死に立ち会うなど、通常ではあまり接することがない死の瞬間を目の当たりにする機会が多い看護師が、心霊現象を経験していてもなんら不思議ではない。

研究結果を発表した前記の2人は、看護師たちの切迫した現場における極度の緊張状態やストレスと超常体験との関連性について、今後も調査を進めていくらしい。

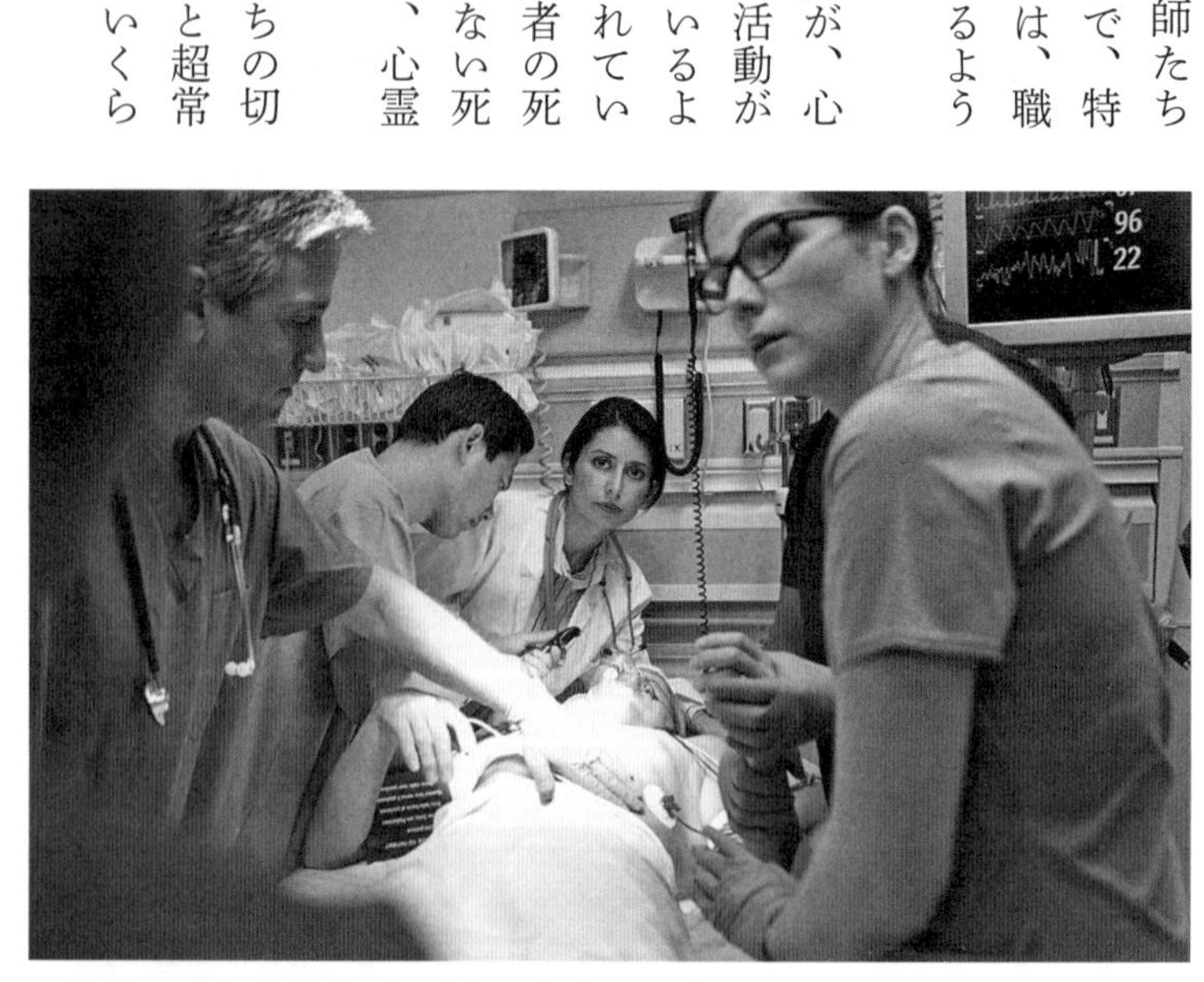

日常的に死と遭遇する仕事柄、病院施設内で幽霊を見ても看護師の大半が怖がることはないらしい

大麻草栽培者の吸引を罰しないため?

大麻の「使用」は合法、「所持」は違法の謎

違法薬物に関連した芸能人・著名人の逮捕が後を絶たない。2019年だけでも、3月にミュージシャンで俳優のピエール瀧、5月にアイドルグループ「KAT-TUN」の元メンバーでタレントの田口淳之介、11月に女優の沢尻エリカがそれぞれ大麻取締法違反及び麻薬取締法違反で、同じ11月にはタレントの田代まさしが覚せい剤取締法違反で逮捕されている(覚せい剤での逮捕は4回目)。

どんな理由があるにせよ、非合法なドラッグに手を出したのだから手錠をかけられて当然だろう。が、注目すべきは、同じ違反でも所持と使用の違いだ。歌手のASKAは覚せい剤取締法違反で二度逮捕されているが、2014年5月の容疑は「所持」。一方、2016年11月の逮捕容疑は「使用」だった。

覚せい剤取締法では、所持・使用ともに違法と定め、罰則は原則懲役10年以下。対し、大麻取締法は所持に対して懲役5年以下と規定しているものの、使用は違反対象にすらなっていない(ピエール瀧、田口淳之介、沢尻エリカともに所持による逮捕)。同じ違法薬物なのに、なぜこんな違いがあるのか。

**大麻取締法では「栽培」も違反対象だが、
該当するのは花と葉だけで、茎と種子は除外される**

法律家によれば、大麻は、コカインなどの麻薬や覚醒剤と比較して有害性が低いことに加え、大麻草の栽培や利用が古くから一般に行われてきたことが背景にあるのだという。

例えば、七味唐辛子に入っている麻の実は、元をたどれば大麻草から採れたもの。神社のしめ縄の原材料の麻も大麻草の茎から作られている。大麻草の実や茎には陶酔成分はなく、陶酔成分があるのは葉や花だ。このように、大麻草の葉や花以外は古くから様々な用途で利用されており、そのため、微量な葉の粉末などを栽培者が吸引してしまう可能性がある。これを大麻の「使用」として罰するのは違うと捉え、あえて取締対象から「使用」を削除したようなのだ。

だからといって、多幸感を得る目的などで大麻を使っただけなら逮捕を免れると考えるのは早計。所持せずして使用は不可能の理屈で、警察は必ず「大麻取締法違反・所持」で逮捕に踏み切るだろう。

説明の内容を十分理解できる患者はほとんどいない

インフォームド・コンセントの「同意しないと次に進めない」現実

インフォームド・コンセント。ウィキペディアの説明によれば、医療行為（投薬・手術・検査など）や治験などの対象者（患者や被験者）が、治療や臨床試験・治験の内容について説明を受け十分理解したうえで（インフォームド）、対象者が自らの自由意志に基づいて医療従事者と方針において合意する（コンセント）ことだ。

日本では1997年の医療法改正によって、医療者は適切な説明を行い、医療を受ける者の理解を得るよう努力する義務が初めて明記され、以降、どの医療施設でも実施されている。例えば、最もインフォームド・コンセントが進んでいる乳ガン治療の現場では、乳ガン告知の後、生命予後や治療成績、その副作用・後遺症が説明されつつ、いくつかの「治療の選択肢」が提示される。そして、医師に「来週までに、ご自分で決めてきてください」と言われるのが一般的だ。

患者に同意を得るこのシステムは、医療において必要不可欠である。が、現実には、この制度は医療

者側のためにのみ存在すると言っても過言ではない。

　医療者側は、説明文を準備したうえで患者に治療の内容を説明、同意書にサインをもらえばＯＫ。万が一、手術に失敗したり後遺症が残っても、その旨を記した説明文に患者が同意しているのだから問題にならない。

　しかし、患者側はどうだろう。知識に乏しい人間が、難解な医学用語が交じった説明文を提示され、それを完全に理解できる人はごくわずか。大半がパニックになるに違いない。が、理解できなくとも同意しなければ次の治療には進めないのが現実だ。仮に疑問を感じても、医師という強者（治す側）と、患者という弱者（治しても らいたい側）とのパワーバランスが働き、「お任せ」という形でサインしてしまうのが実際なのだ。

　インフォームド・コンセントによる治療の選択の自由は患者の権利だ。盲目的に医師の説明を受け入れると、取り返しのつかない事態に陥る危険があることもお忘れなく。

孤独な人は、人間の顔が描かれた商品を好んで買う

「人との繋がり」に飢えていることの裏返し

2017年8月24日付の英紙『デイリー・ミラー』が、人間の行動に関する興味深い記事を掲載した。米オレゴン大学の研究者らが、商品のヴィジュアルと購買行動の関係を分析した結果、ロゴマークやデザインに人間の顔が含まれているブランドを好む消費者は「人との繋がり」に飢えていることがわかったという。逆に言えば、孤独を抱えている人間は、人の顔が見える商品を買うことで自分の孤独感を埋めようとしているらしいのだ。

研究チームによると、非人間的なものに人間的な特徴を見出す心理的な作用は、専門用語で「擬人観」と呼ばれ、孤独な人は擬人観の傾向が強く、特に「人の顔」に対して顕著に表れるという。

研究チームは、これを証明するため、2つの実験を行った。1つは、芸術に心得のある博士が、人間の顔が描かれている絵と描かれていない絵を18枚描き、架空のブランド名とキャッチコピーまで製作し、偽の広告を用意。被験者にそれらを見せ、それぞれのブランドのイメージと被験者個人に関するア

実験に使用されたワイン

ンケート調査を行うというもの。結果、顔が描かれた絵に関して、そのブランドの好ましさが上昇することが判明。また、孤独の度合いが大きいと、擬人観もより強まり、そのことでブランドに対する好みの傾向に影響を与えていることも明らかになったそうだ。

2つ目の実験では、45の架空のワインラベルを製作。その絵の中に〝人の顔〟がどれだけはっきり確認できるか、被験者に7段階で評価させ、同時に親しみやすさや、ワインの個人的な好みを確認。結果は1回目の実験結果を裏付けるものになったという。

顔が特徴的な商品といえば、創業者カーネル・サンダースが描かれたケンタッキーフライドチキンが有名だが、日本にも「カールおじさん」や「ガリガリ君」など多数存在する。それらを好んで食べている人がいれば、その彼（もしくは彼女）は、人知れず大きな孤独を抱えているかもしれない。

不動産屋の都合で掲載されている物件が大半
「おとり」に「優先紹介物件」賃貸サイトの情報は嘘だらけ

部屋探しは、不動産屋に出向き、こちらの条件に見合う物件を紹介してもらい、現地に足を運び判断——。これが当たり前のやり方だが、近頃は、まずネットの不動産賃貸情報サイトを閲覧し、気に入った物件を掲載している業者に問い合わせるのが一般的になっている。最近の物件情報は画像も多く、中には部屋の中を撮影した動画や、該当物件近辺のストリートビューを添付しているケースも少なくない。まさに、便利なことこのうえないが、この手の賃貸ポータルサイトがくせ者で、実は不動産屋の都合で選ばれた物件が優先して紹介されており、その中には、いわゆる「おとり物件」も平然と掲載されていることをご存じだろうか。

おとり物件とは、相場より明らかに良い条件だが実際には実在していない、もしくは貸し出す意思のない物件のことで、目的は客寄せ。問い合わせてきた人間に「まずは直接、ご来社ください」と足を運ばせ、様々な理由をつけて、他の部屋の契約を結ばせるのが常套手段だ。

サイトで部屋を探したことのある人なら、長期間にわたって相場より安い物件を掲載し続けている業者などを見つけ、その存在を怪しんだ経験もあるだろう。しかし、不動産賃貸情報サイトには、さらにからくりがあり、「ＡＤ」と呼ばれる広告料を多く出してくれる大家の物件を優先的に紹介するのが通例。逆にＡＤが少ない大家の物件は一切広告活動をしないことも珍しくない。

早い話が、サイトの情報は嘘だらけ、ということ。自分の条件に合う部屋は、直接不動産屋を訪ね、しっかり内見をしたうえで見定めなければならない。ちなみに、サイトに掲載されている「防犯カメラあり」「ＴＶモニター付きインターフォン」などの設備情報も、現地に行ってみたらデタラメだったというケースも数多いことをお忘れなく。

セックスに費やす時間は生涯平均48日間

人生の25年間は寝て過ごしている

アメリカの人気サイト「DISTRACTIFY」が2014年、食事・通勤・仕事・家事・睡眠など人間の行動を人生単位で考えた場合、それぞれにどれほどの時間を費やすか、データで示した。以下に紹介するのは、アメリカ人の2014年時点での平均寿命78・8歳から算出された数値である。

◉人生の25年間を寝て過ごしている。

◉20歳で就職し65歳で引退した場合、人生の10・3年間が仕事に費やす時間。

◉生涯で48日間セックスしている。

◉人生の9・1年間テレビを見ている。

◉人生の1・1年間を掃除に費やしている。

◉人生の2・5年間を料理に、3・7年間を食事に充てている。

◉人生の4・3年間は車を運転している。

◉人生の92日間をトイレで、1・5年間をバスルームで過ごしている。

当然といえば当然だが、人生で最も長時間費やす行動が「睡眠」とは何とも複雑である。

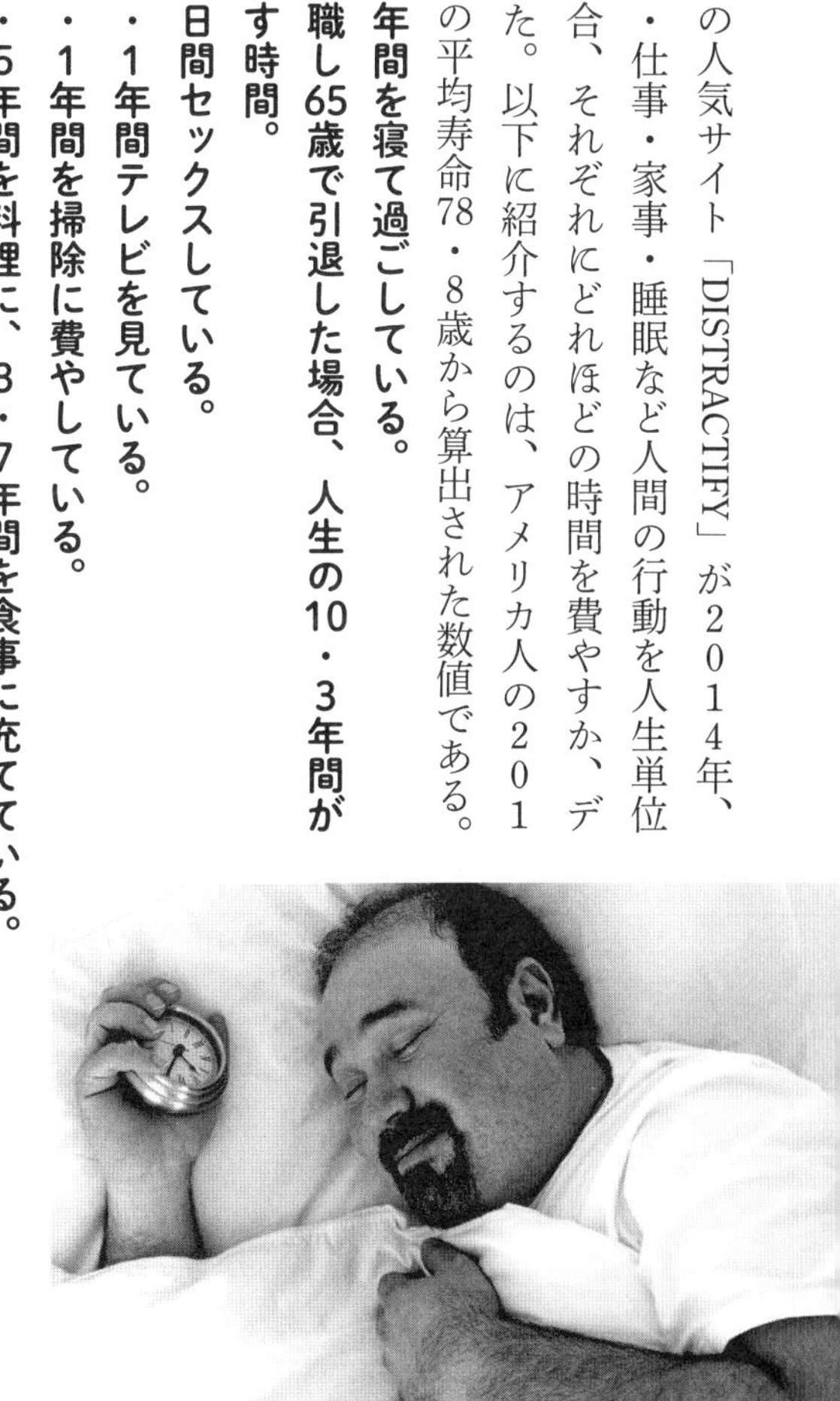

起業の夢を打ち砕くシビアな現実

独立した会社の9割以上が10年で倒産している

サラリーマンなら、誰しも一度は思うだろう。一念発起し、独立・起業したい。社長になってウハウハの暮らしを送りたい――。そんな夢を軽く打ち砕く統計がある。2016年、国税庁が中小企業の設立から倒産するまでの期間を調査したデータによれば、

◉設立5年後の存続率…14・8%
◉設立10年後の存続率…6・3%
◉設立20年後の存続率…0・4%

新しく会社を設立しても、起業から10年で約94%が倒産、20年も経てば大半が消滅しているのが実情らしいのだ。なぜ、組織として生き残っていけないのか。理由は明白。経営難によって資金が足りなくなるからだ。金がなければ取引先への支払い、人件費、税金納付もままならず、自然、破産へと追い込まれてしまう。

それでも起業したいという方は、最悪、自己破産する決意で。その覚悟がなければ、生涯雇われの身でいることだ。

心のストレスからうつ病を発症!?

薄毛に悩む7人に1人が自殺を考えたことがある

人間、誰しもコンプレックスがあるが、薄毛もそのひとつだろう。人に比べて頭髪が少ない、あるいは若いのに禿げ上がっているともなれば、当人が抱える悩みは小さくない。

2016年2月、発毛専門の医療機関へアメディカル社が全国の20~59歳の男女1千206人を対象に行ったアンケートによると、薄毛についてコンプレックスを感じている人の61・8%が「誰かの言動で不快な思いをしたことがある」と回答、また、14・7%が「薄毛が原因で、自殺を考えたことがある」と答えた。つまり、薄毛の人の7人に1人が、自ら命を絶とうと考えるまでに心を痛めているのだ。

ある報告によれば、ハゲが原因で実際に自殺する人は年間300人を数えるという。この数字の真偽は定かではないが、自殺者の多くがうつ病に侵されていることを考えれば、ハゲを指摘されたり、それが原因で異性との交際が上手くいかないことなどで心を病み、うつ病を発症させる可能性は大いにありうる。

周囲の想像以上に本人の悩みは深刻

第2章
知らなきゃよかった！本当は怖い人体

人間の顔は左右非対称

左右対称顔が美しいわけではない

我々人間は、顔の左右は対称となっており、左右対称顔が美しいと考えがちだ。が、それは大きな誤りである。

2014年2月、米ニューヨークを拠点に活動するフォトグラファー、アレックス・ジョン・ベック氏が、ひとりの人間の右半分と左半分の顔をそれぞれシンメトリーにした写真集『Both Sides Of（両側）』を発表した。制作の目的は「左右対称顔は最も美しい」ということと、「顔はその人の性質をよく表している」ことを証明するためだった。

右側だけで構成された顔と、左側だけで構成された顔の2枚の写真。できあがった作品を見て、驚愕の事実が判明した。左右対称の顔は決して美しいとはいえず、さらには、左右の顔がそれぞれ、全く異なる性質を表しているように見えたのだ。

左ページに掲載した写真でもわかるように、目、唇の形や大きさ、顔の輪郭、あご、首筋、さらには

鼻までが微妙に形が違う。全体としては、右と左の顔どちらかがぽっちゃりとし、どちらかがほっそりとした印象だろうか。

アレックス氏曰く、現実を目の前に突き付けられたモデルたちは、皆一様に困惑した様子だったとのこと。顔自体の造形に加えて、表情によっても左右の印象がありありと変化する自分の顔が、まるで他人のように感じるとの印象を持ったそうだ。

ちなみに、本人から見て、顔の「右側」の方が顔の全体像に「近い」印象を与えるのだという。脳に繋がっている知覚回路は、左目で感知したものがまず先に右半球の脳に伝達されるためだ。人の顔を正面から見るとき、その人の右頬はまっすぐ右半球に、左頬は回り道をした後にやや遅れて伝達されるらしい。つまり、相手の顔の右側の特徴が先に脳で処理されるので、我々の脳の中では相手の右側が「優勢」になり、顔の右側が顔の全体像に近いとみなされるらしい。

自分の全体像を知りたければ、顔の右側を合わせ鏡やPCで合成してみるといいだろう。

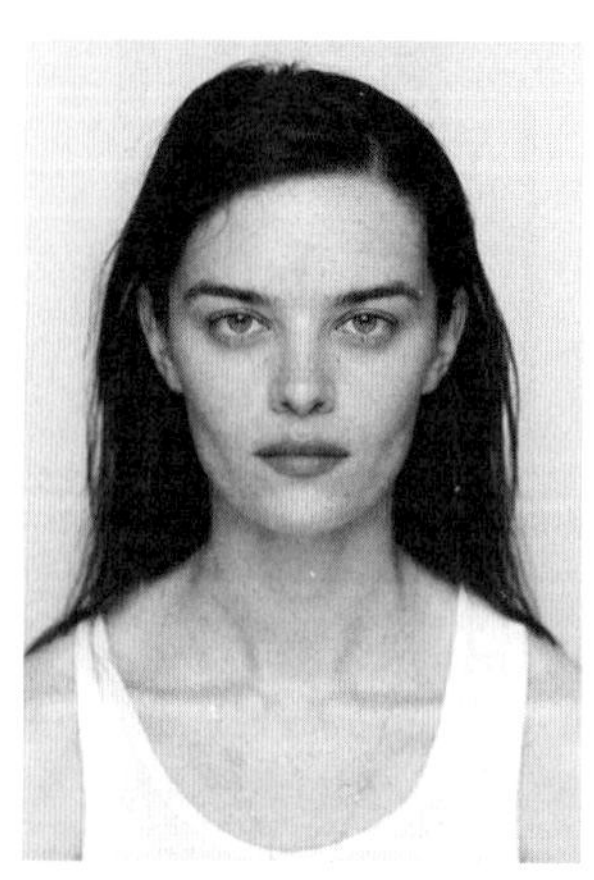
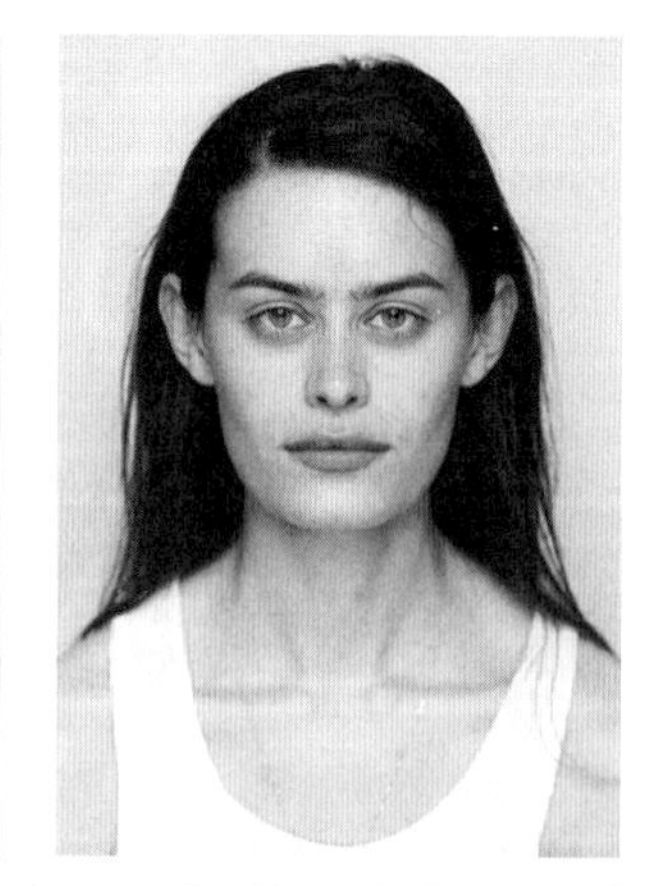

写真集『Both Sides Of（両側）』より。左が顔の右半分、右が左半分だけで構成された画像。表情も性質もまるで異なって見える

健康法の大半は間違い!?

「コレステロール抑制」「減塩」「粗食」は逆に体に悪影響を与える

2017年5月21日、人気サイト「ビジネスジャーナル」に、医師でジャーナリストの富家孝氏が、世間に出回る「長生きするための健康法」の大半に間違いがあるとする興味深い見解を発表した。

例えば「コレステロールを摂り過ぎるのは体に悪い」とされ、何十年にもわたって摂取制限が推奨されてきたが、これは嘘らしい。コレステロールを多く含む食べ物の代表として、卵、鶏レバー、バター、肉の脂身などが挙げられ、中でも1個につき200ミリグラム超のコレステロールを含む卵は「1日1個まで」が常識になっていた。しかし、コレステロールは悪玉とはいえ体には必要なものであり、血中のコレステロール値が高い方が肺炎やガンになりにくく、むしろコレステロール値が低い人の方が死亡率が高いことが統計からわかってきたそうだ。

その結果、2015年に厚生労働省は「日本人の食事摂取基準」で、これまで18歳以上の男性で1日当たり750ミリグラム、女性で同600ミリグラム未満としていたコレステロールの基準を撤廃。そ

の理由は「基準を設定するのに十分な科学的根拠が得られなかったため」だったという。また、日本動脈硬化学会も「食事で体内のコレステロール値は大きく変わらない」とする声明を発表、健康な人では

コレステロール値は下げるのが当たり前とばかりに、様々なレシピの食事が提案されているが…

和食にしよう

スパゲッティーは
ホワイトソースではなく
トマトソースに

揚げ物は週1回

菓子パンはおにぎりに

制限は必要ないとしたそうだ。

富家氏によれば、他にも「塩分控えめが健康のもと」や「生野菜が体に良い」との定説も最近では疑問視され、また「粗食が一番」というのもかなり怪しいそうだ。日本の伝統的な粗食は「一汁一菜」で、肉や脂分の多いものは極力避けるが、そうなると栄養不足でかえって体を壊してしまうだろうと述べる。

富家氏はさらに、健康のために、早起きしてジョギングやウォーキングをするという説にも疑問を呈し、無理に早起きをして、体が硬い起き抜けに運動するのは、実は体に最も良くないと警鐘を鳴らす。

常識とされる巷の健康法、改めて疑ってかかった方がいいのかもしれない。

失業のショックと、新しい職場での不安がぬぐいきれない
再就職した男性が脳卒中を発症する確率は通常の約3倍、死亡リスクは4倍以上

脳の急激な血液循環障害により体に重篤なダメージをもたらす脳卒中（脳梗塞、脳出血、くも膜下出血）。日本では、1951年から約30年にわたり死因の第1位を占めていたが、現在ではガン、心臓病、老衰に次いで第4位。年間11万人弱が死亡している（厚生労働省「平成30年人口動態統計の概況」より）。

2017年5月、医療サイト「Stroke」に、この脳卒中に関する興味深い記事が掲載された。何でも、「失業」の憂き目に遭うと、脳卒中による死亡リスクがより高まる可能性があるというのだ。

これは、15年間にわたり、40～59歳の日本人、約4万2千人（男性約2万2千人、女性約2万人）のサンプルから「雇用変化の長期的影響」を追跡した結果で、調査期間の15年間で1千400件強の脳梗塞あるいは出血性脳卒中が発生し、そのうち400件以上が死に至っていることがわかったそうだ。

また、15年以上継続的・安定的に雇用されている労働者の場合、仕事を失った人たちに比べて「脳卒中リスクが低い」傾向にあることも判明。裏返せば、失業体験があれば脳卒中リスクも高いというわけだ。

発症率も男女で差があり、安定的労働層と比べた場合、男性失業者が脳卒中を起こすリスクは1・58倍で、死亡リスクは2・22倍に上昇。女性失業者の場合、発症リスクこそ1・51倍と男性と変わらないが、死亡リスクは2・48倍に跳ね上がったそうだ。

さらに「再就職した男性」に関する脳卒中リスクの分析値をみていくと、再就職組の脳卒中発症率は2・96倍に増加し、死亡リスクに至ってはなんと4・21倍にも急増。一方、「再就職した女性」は、発症率も死亡率もほとんど上昇しなかったという。

専門家は、この結果について、日本の男性労働者の多くはいまだ「終身雇用制度」に組み込まれているだけに、失業のショックは大きく、たとえ再就職しても、自身の不安感は変わらず、それが原因で体にトラブルを起こしやすいものと分析している。

2018年の世界失業率ランキングによれば、
日本は2.44%で対象108ヶ国中の101位だが…

アメリカでは子供のヘディングは禁止

サッカーのヘディングが認知症を引き起こす危険

　1990年代のサッカーイングランド代表チームのキャプテンとして活躍したアラン・シアラー。現役時代、彼は1日に最高で150回のヘディングの練習を行い、プレミアリーグで通算260ゴールを記録。その5回に1回はヘディングによる得点だった。

　2017年11月、英紙『デイリー・ミラー』が、シアラーがヘディングの影響により自身に認知症の危険があるとして検査を受けたこと、認知症を抱える元サッカー選手たちを守るよう関係団体に訴えていることを報じた。

　サッカーのヘディングと認知症はかねてから関係性が指摘されている。イングランドの元サッカー選手、ジェフ・アストルが2002年1月に59歳で亡くなったとき、検視官は慢性外傷性脳症が死因と結論づけた。度重なるヘディングで脳に受けた損傷が原因で認知症になり、死に繋がったというのだ。

　シアラーは、英国で認知症に苦しむ人が85万人おり、この中に多くのサッカー選手も含まれると主張

年間1千回以上のヘディングを行うサッカー選手の30％が、脳外傷に典型的な脳白質の微細構造の変化が見られる可能性が高いとの研究報告もある

している。実際の数は定かではないが、『ミラー』紙によれば、1966年のサッカー・ワールドカップで優勝した際のイングランド代表チームで今も存命の9人のうち3人がアルツハイマーを患っているという。

ヘディングと認知症は因果関係があるのか。それを証明するため、2016年2月、英スターリング大学の研究チームが実験を行った。機械を使ってコーナーキックに似せたボールを放ち、被験者の選手たちにそれぞれ20回ずつヘディングさせる。この後、彼らに記憶テストを実施したところ、通常より記憶力が41～67％も低下していたことが判明した。研究チームによれば、この影響は24時間以内に消えていくものの、日常的にヘディングを繰り返すサッカー選手の場合、のちのち脳の健康に大きな影響を与え、認知症を患う危険性も十分にあるという。

こうした報告を受け、アメリカでは現在、10歳以下の子供のヘディングを禁止、11～13歳の選手に対しても、ヘディングを1週間30分以内にとどめるよう定めている。

アルツハイマー、認知症とも大きく関係あり
嗅覚の衰えは、死の前兆

匂いを感じにくくなったり、完全に匂わない病気、嗅覚障害。程度にもよるが、匂わないことで人によっては味覚も失われ、文字どおり人生を味気ないものにさせてしまう。

しかし、問題はさらに深刻で、嗅覚の異常はアルツハイマーや認知症も疑わなければならない。認識力の衰退は、人間の嗅覚をつかさどる第1脳神経と呼ばれる部位に多大な影響を及ぼすからだ。これまでにも、米フロリダ大学の研究で、スプーンに盛られたピーナッツバターを匂いだけでどれくらいの距離から認識することができるか計測したところ、アルツハイマー病の患者たちは、平均して右の鼻腔よりも10センチ以上近づかなければ、左の鼻腔でピーナッツバターを認識できなかったという、左の鼻腔の衰えが判明している。

２０１７年3月、英紙『デイリー・テレグラフ』がさらに驚きの記事を掲載した。スウェーデン・ストックホルム大学の研究チームが、医学誌『Journal of the American Geriatrics Society』に発表した研究

結果により、嗅覚の衰えは、認知症どころか早期死亡とも関係していることが明らかになったというのだ。

記事によれば、研究チームは、２００７年に40～90歳の１千７７４人のスウェーデン人を対象に、フルーツやスパイスなど13の異なる匂いを認識できるかテスト。その結果と10年以内に死亡した被験者との相関関係を調べたところ、認識できない匂いが増えるほど死亡リスクは高まり、完全に嗅覚を喪失した人に至っては10年以内の死亡率が19％も高いことが判明したそうだ。

同研究チームは、このプロセスについては今後の課題としながらも、嗅覚神経が自己修復能力のある幹細胞を持つため、嗅覚の衰えは自己治癒能力の衰えを示している可能性と、嗅覚神経が呼吸器や中枢神経系に悪影響のある化学物質への蓄積曝露の基準として表れている可能性の２つを示した。要は原因不明。嗅覚に異常を感じたら、早めに専門医の診断を受けることが重要だ。

匂いの感じ方については日頃から注意が必要

心臓と血流が停止した後も脳が活動

人間には、死の後を生きる「謎の10分間」が存在する

２０１７年３月、カナダ・ウェスタンオンタリオ大学の研究チームが驚きの研究結果を発表した。生命維持装置が取り外された４人の患者の心拍と脳波を測定したところ、３人は心臓が止まるより先に脳波が停止したが、１人は、心臓と血流が停止した後も10分間にわたり脳に活動が見られたというのだ。このとき、測定された脳波は〝深い眠り〟についている際と同じデルタ波で、集中治療室の医師らは「通常では考えられない、説明不可能な事態」と驚愕しているそうだ。

同年３月８日付の英紙『デイリー・メール』によれば、死後の脳活動についてはこれまでにも多くの研究が報告されており、例えば２０１３年に科学誌『Proceedings of the National Academy of Sciences』に投稿された論文によれば、ネズミの頭部を切り落とした１分後にも脳の活動が観測されたという。また、米ワシントン大学のピーター・ノーブル教授らの研究でも、死後に活動を始める遺伝子が存在することが判明している。

さらに、英サウサンプトン大学の科学者たちは、イギリス、アメリカ、オーストリアの15の病院で、心停止に陥った患者の事例2千60件を分析した結果、実に40％の患者に息を吹き返すまでの間にも「意識」のようなものがあったことを確認。57歳の心停止体験者に至っては、3分間の死の間に経験した看護師の動作や医療機器の音までも詳細に覚えていたそうだ。

いわゆる「臨死体験」は、心停止の状態から蘇生した人の4〜16％から報告がみられるという

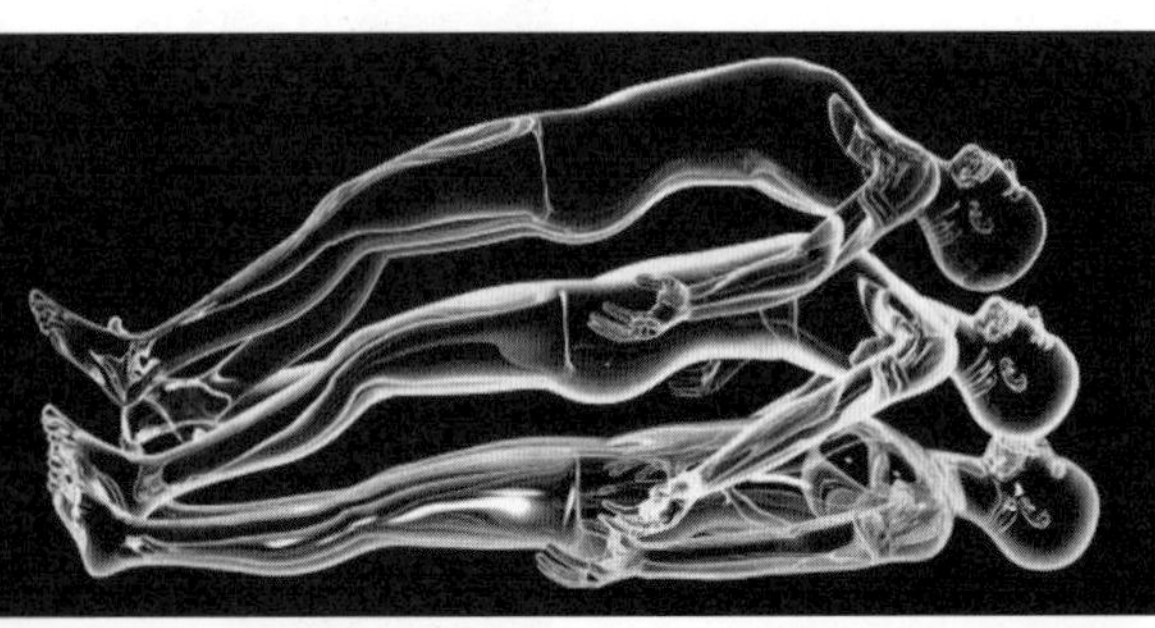

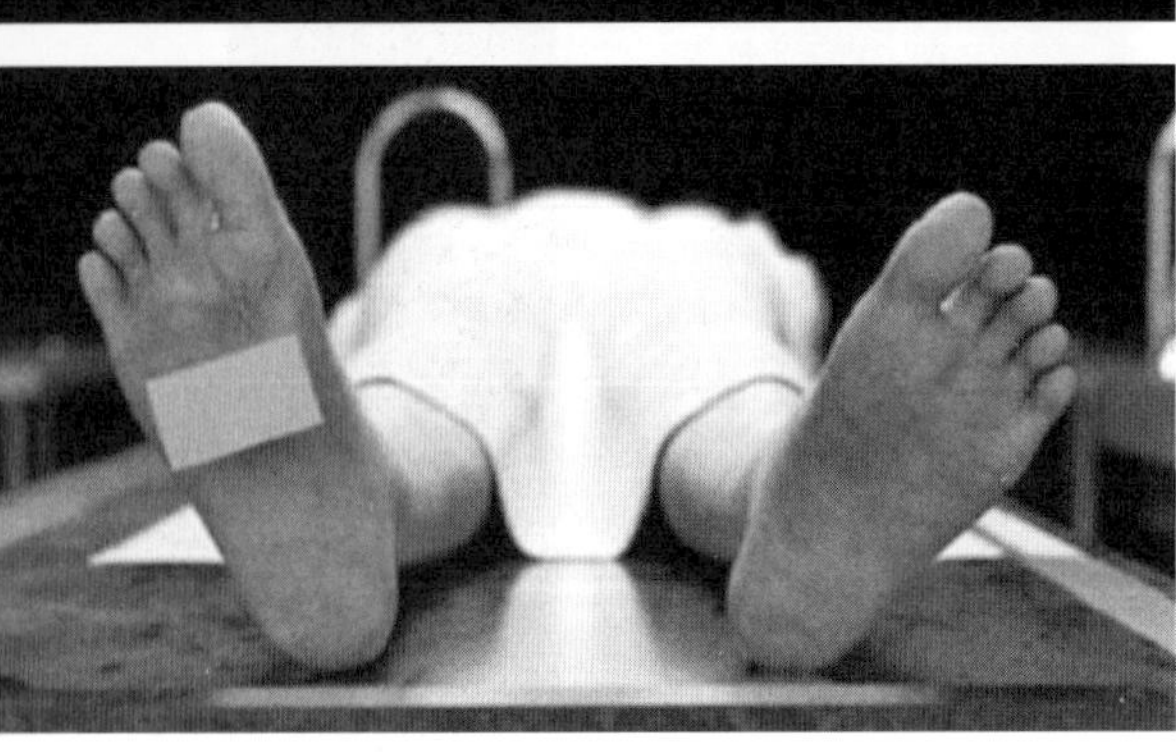

イギリスを代表する数理物理学者ロジャー・ペンローズ博士は、死とは細胞中に見いだされる直径約25ナノミリメートルほどの「マイクロチューブル」が保持する量子情報が宇宙空間に放出されることだと主張。量子情報は徐々に放出されるため、放出途中で量子情報が回収されれば意識を取り戻すという。この量子情報の回収にともなう現象が、いわゆる臨死体験を引き起こすそうだ。

人間の死には、科学的に説明できない不可解な事柄が多いようだ。

家にこもるストレスが、自殺や犯罪を誘発
「地球温暖化」と「精神障害」の密なる関係

２０１７年３月、アメリカの科学誌『ポピュラー・サイエンス』が、地球温暖化などの気候変動が、人間の精神に異常を引き起こすとする興味深い記事を掲載した。

記事によれば、２０１７年に入ってすぐ、アメリカの11の医学団体で構成される「The Medical Society Consortium」が、火災や洪水、台風を含む自然災害などによる精神面への急激な影響と、気候変動が人間の精神に及ぼす影響の2つに言及する報告を行ったそうだ。

報告書は、自然災害に遭った人々の40％が不安を感じたり、うつ病や双極性障害、また強いストレスが原因となる精神障害を抱えている実態を発表。具体例として２００５年にアメリカ南部を襲った大型ハリケーン「カトリーナ」の後、大きな被害を受けた地域では住民の6人に1人がＰＴＳＤ（心的外傷後ストレス障害）に該当する条件を満たし、未遂も含めて自殺した人数が他の地域と比べて2倍以上だったという。

問題は災害そのものだけではないようだ。人間の多くは一つのストレスならば乗り越えることができるが、災害時の状況下ではストレスの要因が複数に増え、対処しきれなくなる。米オハイオ州のウースター大学で心理学を教えるスーザン・クレイトン教授は、その例の一つに「場所」を挙げ、特に家が人間にとって重要で、住み慣れた場所から移動する行為は精神的にも影響を及ぼすと主張。災害時に自身の家や仕事を失くし、さらに近所づきあいも失う事態に陥った場合、それは今まで築き上げた全てから自らの居場所を永遠に奪われてしまうも同然なのだという。

さらに、教授によれば、気候変動が続くことによって地球温暖化も深刻になり、同時に人間は激高しやすく攻撃的になるという。気温や湿度が上昇すると、人間はその環境から逃れるべく、できるだけ屋内にとどまるようになるが、外界とのつながりを遮断することで慢性的なストレスを抱え、それが自殺や犯罪発生件数にも関係してくるらしい。

地球温暖化が誘発する精神障害。甘く考えてはいけない問題のようだ。

地球温暖化が進むと、気温が上昇するだけでなく、自然環境や人間の精神にも重大な問題を引き起こす

くしゃみによる病原菌は最大4メートル飛び、45分間空中を漂う

実際の感染症患者を被験者にデータを分析

インフルエンザなど感染症の流行時、多くの人がマスクを着用する。くしゃみなどで空気中に放出されたウィルスを吸い込まないため、自身が感染している場合は周囲に伝染(うつ)さないためだ。

では、くしゃみをしたとき、その飛沫(ひまつ)がどこまで飛び、飛沫に含まれる病原菌がいつまで空気中を漂っているか、ご存じだろうか。

2017年6月、オーストラリア・クイーンズランド工科大学の研究者らが、その疑問を解明すべく、一つの実験を行った。内容は、実際の感染症患者を被験者に、閉鎖されたドームに向かってくしゃみをしてもらい、そのデータを分析するというもの。調査に使われた病原菌は「緑膿菌」という、どこにでもいる微生物で、健康な人ならば感染しても症状はほとんど出ないが、免疫力の低下した病人や老人に感染すると、敗血症などの重篤な疾患を引き起こすものだ。

結果は驚くべきものだった。患者から排泄された飛沫は、最大で4メートルほど飛び、飛沫に含まれ

人前でくしゃみや咳をすることに戸惑いを覚えさせる衝撃の事実

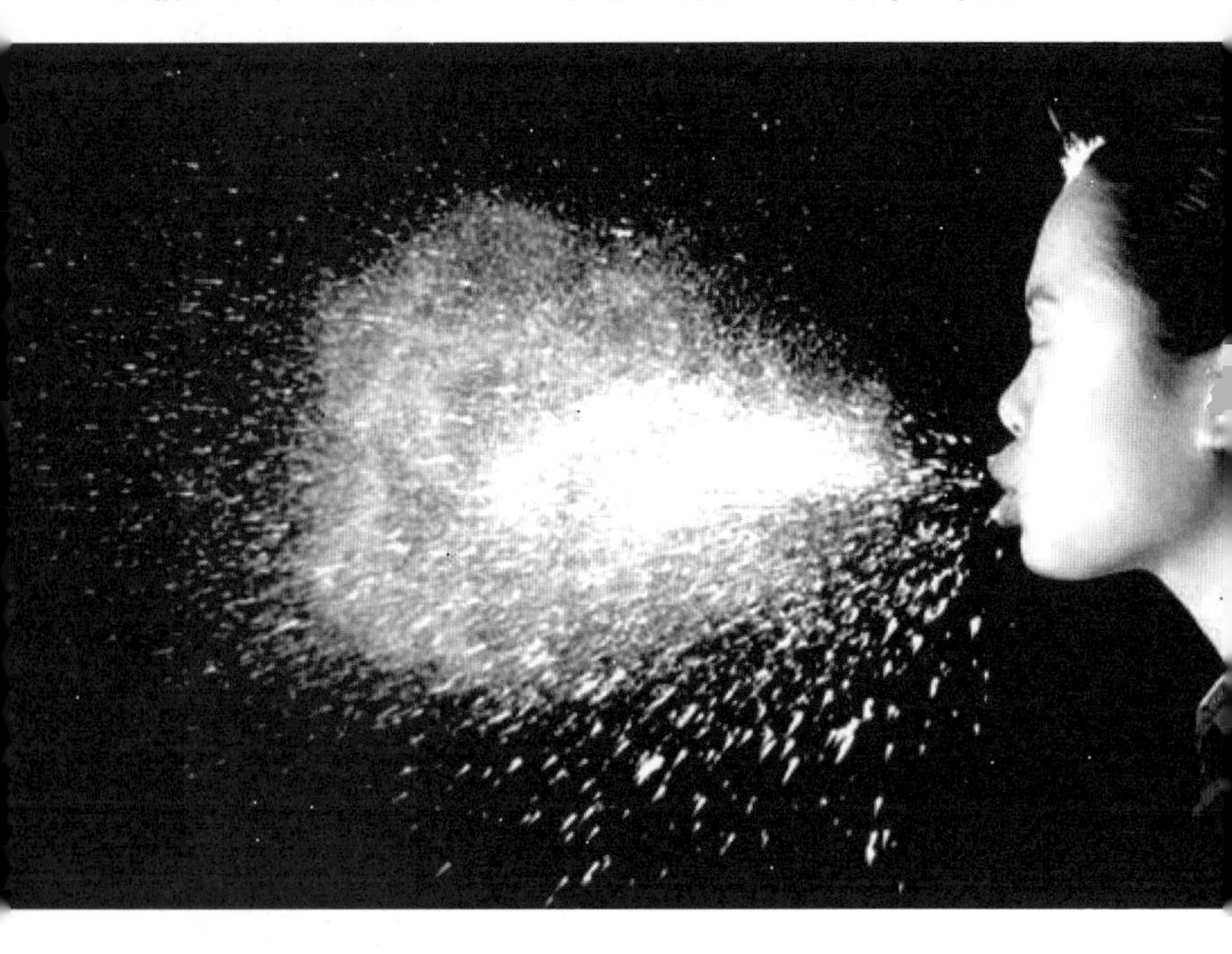

る水滴は、急速に乾燥し、冷やされ、軽くなり、あっという間に分解されてしまったという。が、大きな水滴は分解までに時間がかかる。実験では、小さな飛沫に含まれている病原菌の大半は最長10秒で感染力を失ったというが、乾燥が遅い水滴中に含まれた一部の菌は10分以上残り、最長で45分後まで生存することがわかった。研究チームによれば、くしゃみに含まれる水滴の大きさが違うのは、それぞれ気道の異なる場所で作られたからだという。

くしゃみ一つで4メートル飛び、菌の生存時間は最長45分。この事実を知っていれば、誰もが人前で無闇にくしゃみや咳をすることに躊躇いを覚えるに違いないだろう。

歩く速度が遅い人ほど健康寿命が短く、死にやすい

中高年イギリス人42万人の調査データを分析

2017年9月、イギリスの心臓疾患系学術誌『European Heart Journal』が、歩行スピードで中高年期以降の心臓の健康状態を予測できるという研究報告を掲載した。

この研究は、英国内の中高年42万人の健康状況を6年間にわたって収集したデータを分析したもの。データ収集開始時に心臓疾患の症状がない人が人選の条件で、調査は、まず対象者に普段の歩行速度を自己申告してもらい、その後は定期的な健康診断のデータ提出と、運動能力の測定テストを行う形で実施された。

データ収集中の6年間で死亡したのは42万人中8千600人。そのうち、心臓系の疾病が原因で亡くなったのは1千650人だった。この結果を分析したところ、最初の自己申告で歩行速度が遅いと報告している人は、速いと報告している人よりも平均で1・8〜2・4倍もの確率で死亡していることが判明したそうだ。

似たような調査が２０１０年、アメリカでも行われている。これは30～55歳の女性1万3千５３５人に対して、調査開始時と9年後に歩行速度を調べ、それぞれ健康状態を比較したもの。結果は、歩行速度が時速３・２キロ未満のゆっくり歩きの人を「１」とした場合、時速３・２～４・８キロ未満の普通のスピードで歩く人は１・９倍、時速４・８キロ以上のやや速歩きで歩くことができる人は２・68倍、サクセスフル・エイジング達成率（ガンや糖尿病、心臓疾患や脳疾患などの大きな病気にかからず、認知障害もなく健康な状態でいられる率）が高いことが判明したそうだ。

これらの結果から導き出される答えは一つ。歩くスピードが速い人ほど健康寿命が長く、逆に遅い人ほど病気にかかったり、心臓系疾患などで死亡する可能性が高いということ。気になった方は、普段の自分の歩行スピードを確認するところから始めるのがよいだろう。

歩行スピードは時速3.2～4.8キロが「普通」と考えられている

性ホルモン「テストステロン」が顔の形に影響

顔の横幅が大きい人ほど性欲が強く浮気性

19世紀前半の欧米で大いに流行した骨相学。頭蓋骨の形が人の個性を決めるという学説だが、現在では何の根拠もない疑似科学として片付けられている。しかし、海外のウェブサイト「Big Think」が2017年9月26日に配信した記事によれば、人体の特徴と性格や行動パターンを関係づける研究は現在でも地道に行われているらしい。

例えば、2016年10月にイギリスで行われた調査では、薬指が人差し指より長い人は胎内で受けたテストステロン（性ホルモンの一種）の影響が強く、男女にかかわらず性的にふしだらな傾向にあり、逆に人差し指が薬指より長い人は、比較的1人のパートナーに一途であることが判明しているそうだ。

また、カナダ・ニピッシング大学の心理学者スティーブン・アーノキー准教授らが、科学雑誌『Archives of Sexual Behavior』に掲載した論文によると、テストステロンが顔の形成に影響を与え、それが性欲の強さにも関与していることが明らかになったという。

ポイントはfWHR(顔の幅を眉下から上唇までの高さで割った比率)の数値

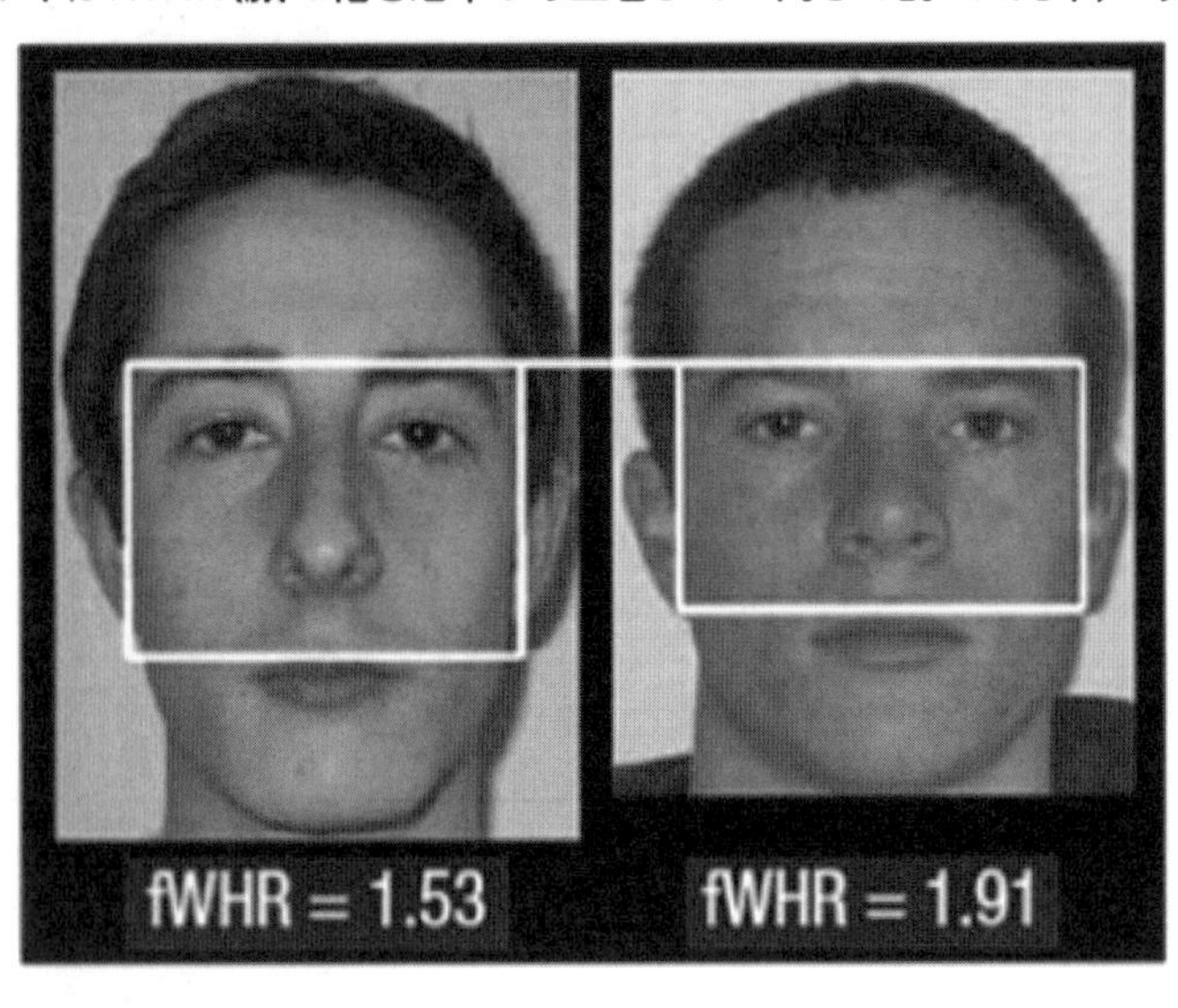

研究チームは、男女ほぼ半々の148人の学生の写真から、顔面の〝横幅〟の相対的な大きさを表す「fWHR」(顔の幅を眉下から上唇までの高さで割った比率)を算出。被験者らに回答してもらった性生活と性欲に関するアンケート調査と、それぞれのfWHRの比率を突き合わせたところ、男女関係なく、その比率が高い(相対的に顔の横幅が大きい)ほど、性欲も強い傾向にあることがわかったそうだ。

314人の学生を対象にした2度目の調査でも、fWHRの比率が高い男性ほど、自由にセックスを楽しむ傾向にあることが判明(女性の場合は大差はなし)。この結果は、男性におけるfWHRの比率と浮気のしやすさに相関関係があることを指摘した先行研究とも整合性が取れているそうだ。

あくまで傾向に過ぎないが、気になる相手の性情報を知りたければ、顔の横幅を確認してみるのも一つの手段だろう。

胎児のときに母体から受ける影響に秘密が
兄が多い男性ほど同性愛者になりやすい

性的少数者を限定的に指す言葉として使われる「LGBT」(レズビアン・ゲイ・バイセクシャル・トランスジェンダーの頭文字)。2015年、電通ダイバーシティ・ラボが20～59歳の男女約7万人に性的指向を質問したところ、全体の7・6%が、自身がLGBTであると回答したそうだ。割合にして約13人に1人。これは「左利きの人」や「血液型がAB型の人」とほぼ同じ割合だという。

LGBTの人の中で、ゲイ(男性同性愛者)は38%。全部の男性に占める割合は5・8%で、約17人に1人という計算になる。

ゲイは、20年ほど前の別の研究から、兄が多い男性ほどなりやすいという報告が発表され、それは「兄弟効果」と呼ばれるようになった。例えば、兄が1人増えるごとに同性愛の確率が1・3倍ずつ増えるという報告もあり、そこから、遺伝的要素が関係しているのではないかという研究がいくつか発表されたが、明確に理由を説明したものはなかった。

しかし、アメリカ最大の科学団体機関誌『米国科学アカデミー紀要』（電子版）の2017年11月22日号に掲載された論文によれば、この傾向は事実で、胎内にいる際に母体から受けた影響が関係しているのだという。

論文を発表したカナダ・ブロック大学の研究チームは、142人の女性（息子がいない女性、異性愛者の息子の母親、同性愛者のひとり息子の母親、兄弟がいる同性愛者の息子の母親など）と12人の男性（異性愛者と同性愛者）の血液を採取し、「NLGN4Y」というタンパク質の血中濃度を比較したところ、同性愛の男性と、下の息子が同性愛者である母親に「NLGN4Y」が多いことを突きとめた。つまり、同タンパク質が男性を将来、同性愛者にするカギを握っていたというのだ。

この結果を受け、研究チームは、少なくとも男性の同性愛は本人の選択ではなく、生得的なものであるという推論を導き出した。母親の胎内のホルモンや抗体によって胎児の脳の発達を変化させた可能性が高いと述べている。

兄が多いほどゲイになりやすい考え方を「兄弟効果」と呼ぶ。レズビアンには見られない傾向
（写真はイメージ。本文とは直接関係ありません）

出会う人全てに愛情を示す「ウィリアムズ症候群」という奇病がある

他人への共感性が高く、人種的偏見も一切なし

1961年、アメリカの医師J・C・P・ウィリアムズにより報告された「ウィリアムズ症候群」。約27の遺伝子を含む7番染色体が欠けていることによって起こると考えられる、2万人に1人（近年の疫学的研究では7千500人に1人）の遺伝子疾患だ。

「妖精のような顔」と称される上向きの鼻、広い額、小さな顎、大きな耳、精神発達の遅れ、視空間認知障害や、歯の異常などが特徴だが、一方では優れた音楽の才能を持ち、出会う人全てに愛情を示す傾向にある。そのため、彼らは見知らぬ人を抱きしめたり、他人のことを熱を込めて褒めたり、たやすくお金や携帯電話を貸してしまうこともあるという。

2010年、進化生物学者のブリジット・フォンホルト率いる研究チームが、狼と犬の異なる進化的特性を探すため、225頭の狼と85種912頭の犬のDNAを検査した結果、犬とウィリアムズ症候群の人々のDNAに、ある類似性がみられることを発見した。研究チームが注目したのは「WBSCR

ウィリアムズ症候群の女の子。人懐っこい笑顔が特徴的

17」という遺伝子で、犬の場合、この遺伝子またはその付近に存在する遺伝子が、進化の過程において狼よりも人懐こくなるための重要な役割を果たしていることが判明。より人懐こい犬種には同遺伝子の発生率が高く、また、ウィリアムズ症候群の患者の場合、彼らに欠けている遺伝子配列の近くに、同遺伝子が位置していることがわかったという。

現段階では、ウィリアムズ症候群に有効な治療法は存在しない。が、この病気を患う子供は他人への共感性が高く、警戒心を持たず、また人種的偏見もない。これは、彼らに「人種によって人を量る」神経回路がないためだろうが、差別主義がまかり通る現代社会において、友好的かつ平和的な態度をとるウィリアムズ症候群患者は、いい意味で稀な存在と言えるだろう。

生前の関係性から現れる「幻覚的体験」

愛する者を失った人の6割が故人の声を聞き姿を見ている

2016年3月、イタリア・ミラノ大学の研究チームが精神医学誌『Journal of Affective Disorders』に、愛する者を失った人の30～60％が日常的に故人の存在を〝感じる〟ことがあるとする論文を発表した。これは配偶者や恋人、親しい人を失った人々への一連の調査でわかったことで、論文では、故人が脳裏に浮かんでくるばかりでなく、実際に声を聞いたり姿を見たりすることもあり、中には故人が部屋の椅子に座っていたのを目撃したという証言もあるとの報告例も紹介されているそうだ。

研究者たちはこの現象を「幻覚的体験」と呼び、該当者が自分の胸の中だけの出来事にして他人にはめったに語らなかっただけで、調査によって初めて実態が判明したのだという。なぜ、こんな現象が起きるのか。別の研究者によれば、これはPTSD（心的外傷後ストレス障害）を患う人々が、不意によみがえってくる過去のネガティブな記憶に苛(さいな)まれるメカニズムに似ているものだという。

また、長年にわたりイギリス中の、愛する人（配偶者、親、子供、兄弟、友人）を亡くした、あらゆ

る年齢、経歴の人々にインタビューを行い、この分野を研究している英ローハンプトン大学のジャクリーン・ヘイズ氏は、幻覚的体験は決して意識的に故人のことを思い出しているのではないと主張。ただし、この現象は当人にとって重大なもので、故人との関係が今も続いていることを表しているのだそうだ。つまり、愛する人が亡くなっても、愛していればいるほどその故人との関係性は消えずに根強く当人に残っており、それが時折、幻覚的体験を引き起こしているらしい。

死後、故人の声を聞いたり、姿を見たりすることとは、心霊体験としてネガティブに考えがち。しかし、ヘイズ氏によると、生前の関係性が良好であれば、それは逆に「良きメッセージ」となり、精神の安定や良好な睡眠、そして守られている感覚を拠り所にし、難題に向かうチャレンジ精神を育むことが多いそうだ。

故人の霊が引き起こしている現象ではなく、まだ故人との関係を保っている（と思い込んでいる）当人の脳内で起こる現象と考えられている

不安を軽減させるアルコールの作用が影響？
酒を飲むと外国語が上手くなる

飲酒が脳に及ぼす影響により外国語を話す能力が向上する——。2017年10月、英リバプール大学とオランダのマーストリヒト大学の共同研究チームが、英国精神薬理学会が発行する学術誌に興味深い論文を発表した。

研究チームは、ドイツ語を母国語とし、最近オランダ語の会話と読み書きを学んだマーストリヒト大学の学生50人を対象にテストを実施。被験者は、無作為抽出によりアルコール度数5％のビールかノンアルコール飲料を飲んでから、実験者とオランダ語で会話した。ビールの量は被験者の体重によって調整され、たとえば70キロの男性には460ミリリットルが提供されたという。

実験中の会話は録音され、オランダ語を母国語とする2人が採点。採点者は被験者がビールを飲んだかどうかを聞かされなかったが、ビールを飲んだ人は飲まない人よりも採点が高くなる有意の傾向がみられ、特に発音が向上したという。ちなみに、被験者にもオランダ語の能力を自己採点してもらった

飲みすぎると効果は見込めないらしい

が、それにはアルコールによる影響はみられなかったそうだ。

リバプール大学によると、アルコールは認知機能と運動機能を損なうことが知られているという。よって、記憶力、注意力、不適切な行動を抑制する能力を含む「実行機能」が特にアルコールに敏感であることから、実験前は、外国語を話すときに重要な実行機能が酒の影響を受けると、会話の能力が損なわれるとの予想もあった。が、結果は全くの逆だったのである。

研究チームでは、飲酒による外国語の会話力の向上がみられたのは、「不安を軽減するアルコールの作用が有効に働いた可能性がある」と分析。また、アルコール摂取量が少ないことも重要な点で、飲みすぎてしまうと外国語能力にプラスの効果は見込めなくなりそうだと指摘している。ただ、50人という被験者数が説立証には少なすぎることも認めており、今後さらに大勢の人間に同様のテストを実施する予定らしい。

母親との利き手のマッチングが重要

左利きは稼ぎが少なく、認知能力も低い!?

左半身をつかさどる右脳は直感や創造力に優れるとの説が広まっているためか、「左利きは天才肌の芸術家タイプ」というイメージが浸透している。しかし２０１４年12月、複数の海外メディアが、右利きと左利きについてのこれまでの通説を一蹴する驚くべき調査を報じた。なんと「左利きの人は生涯賃金が少なく、認知能力も低い傾向にある」というのだ。

アメリカの学術誌『Journal of Economic Perspectives』上で研究成果を発表したのは、ハーバード大学の経済学者、ジョシュア・グッドマン教授。英米の４万７千人を綿密に調査した結果、左利きの人と右利きの人についての差異を見出したそうだ。教授によると、左利きの人は生活や仕事で不利な立場に置かれる傾向にあり、右利きの人よりも生涯賃金が実に12％ほど少なかったという。しかも、左利きの人は認知能力が低く、精神面や行動面に問題が生じる可能性が大きい。特に左利きの子供は、右利きの子供と比べて学習障害や失読症を抱えるケースが多かったらしい。

利き手によってこうした差異が現れる原因までは解き明かすことができなかったが、教授は、ある仮説を立てている。実は、母親と子供の関係調査で、両者とも左利きだった場合は子供の認知能力に影響は見られず、右利きの母親から生まれた左利きの子供や、左利きの母親から生まれた右利きの子供にだけ影響が現れた。よって教授は「利き手以上に、母親との利き手のマッチングが重要」で、母親と利き手がマッチしないと子供が母親を真似して学習することが難しくなるため、認知能力の低下が起きるのではないかと結論付けている。

左利きには才能溢れる人物が多いが……（上／オバマ前アメリカ大統領、中／アインシュタイン、下／レオナルド・ダ・ヴィンチ）

見た目と実年齢のギャップに驚愕！

いくら歳を重ねても老けない「ハイランダー症候群」という病がある

まずは左の写真を見てほしい。美人の少女と、女の赤ん坊。2人の関係を問われたら、大半の人が少女の幼き妹か姪っ子、近所の赤ちゃんと答えるだろう。が、実はこの赤ん坊、少女のお姉さんである。この写真が撮られたとき少女は9歳、姉は17歳だった。

彼女（姉）は1993年、米メリーランド州で4人姉妹の三女として生まれた。誕生時の体重が1千800グラムの未熟児だったところから家族は大切にその成長を見守ったが、4歳のときに身長も体重もストップ。医師のホルモン投与も全く効果がなく、彼女は知能も肉体も幼児のまま20歳で死亡したという。

彼女が患っていたのは、実年齢より異常に若く見える奇病「ハイランダー症候群」だ。通常なら、歳を取るにつれ酸素を取り込むことによって皮膚が老化していく。ところが、ハイランダー症候群の患者は、何らかのホルモン異常によって老化が食い止められているという。よって、世間一般には〝歳を取らない病気〟とも言われるが、死期が近づいた途端、急激に老け込むのも特徴らしい。

韓国にも同じ病気を患う男性がいる。左下の写真の少年、どう見ても10代の小学生くらいにしか思えないが、彼は１９８９年生まれの26歳（２０１５年当時）だ。声変わりを経験していないと思しき高い声と子供のような体型、体毛のない柔らかな皮膚。肉体的には完全に少年なのだが、健康上の問題は皆無。しかも本人はいたって陽気な性格で、夜はクラブで酒を飲みながらダンスを踊っているとか。何とも複雑である。

ちなみにこのハイランダー症候群、一部では、そもそも存在しないガセという見方もあるそうだ。

左が姉17歳、右が妹9歳

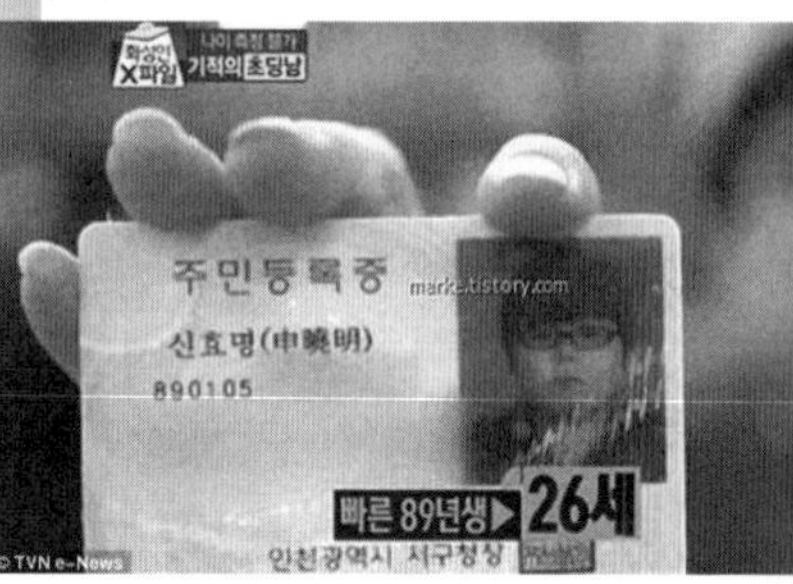

小学生の外見を持つ彼は、26歳の韓国人男性。IDカードにも1989年生まれの記載あり

生物学的には、人間は47年で寿命終了

ほ乳類の心臓は15億回の鼓動で停止する

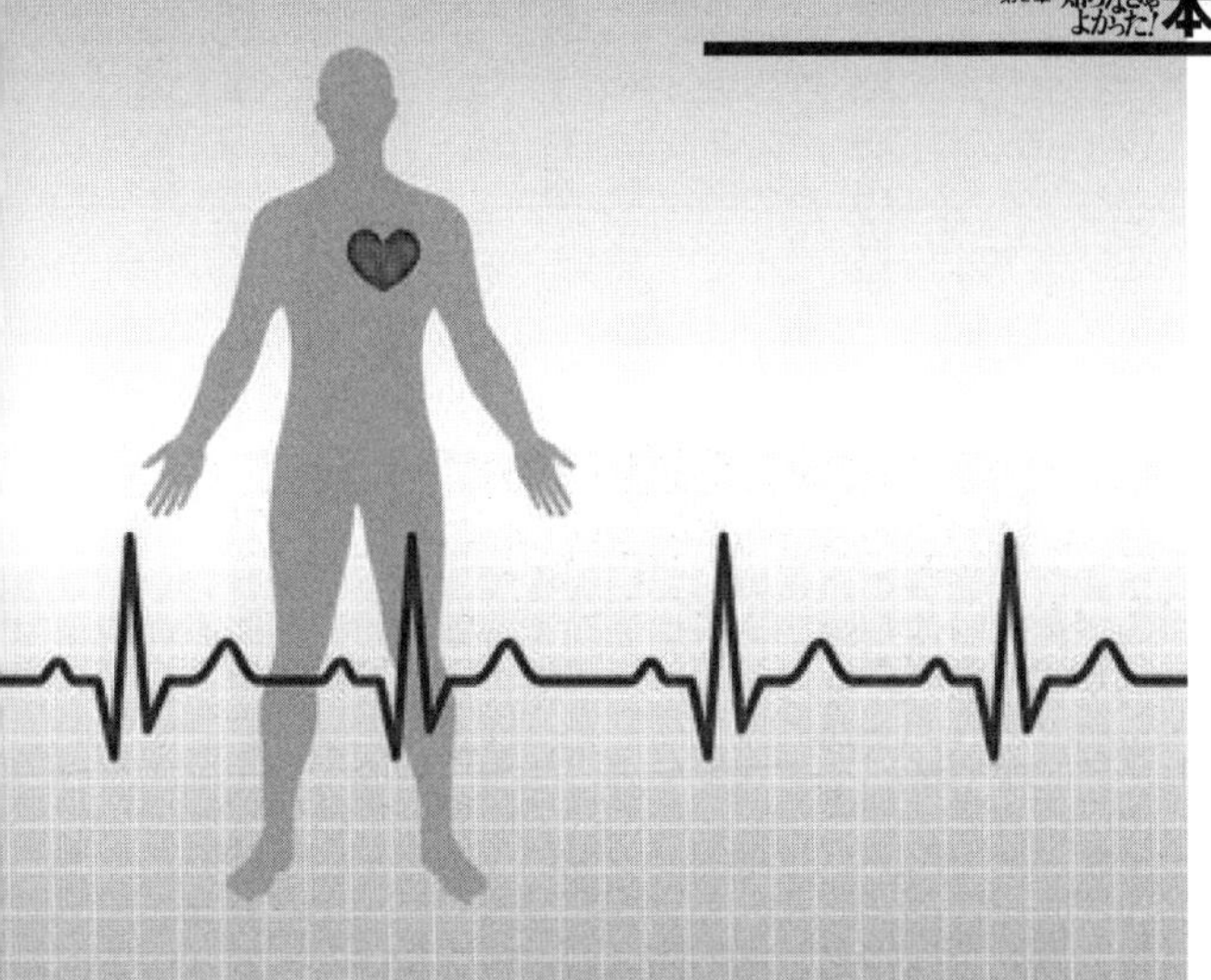

生物学的観点から考えると、人間は30歳を越えたらいつ死んでもおかしくない

日本人の平均寿命は年々伸びていて、2018年時点で男性が81・25歳、女性が87・32歳と過去最高を記録した。この寿命は物理学的時間を時計で計ったものだが、生物学的時間という考え方からすると、一生の間に心臓が動く回数はどの動物も同じで、ほ乳類なら15億回鼓動すると心臓が止まるのだという。例えば鼓動が速いネズミの寿命は約4年。象は1・5秒に1回しか鼓動をしないため、寿命も約70年と長い。我々人間の鼓動は1秒間に1〜1・15回。単純計算で、生物学的に人間は47年ほどで寿命を迎えることになる。これが、80歳を越えても生きている人が多いのは、安定した食料供給、安全な都市や医療が発達したおかげだ。

1ヶ月以上経つと極端な変化なし

人間の脳は1時間で半分以上の記憶を失っている

物覚えがいいという人は確かにいる。が、人間の記憶力そのものに個人差はほとんどないらしい。19世紀の心理学者ヘルマン・エビングハウスは、意味のない綴りを使い、人がどれくらい記憶できるかを自ら調査した。結果、20分後の節約率（一度記憶した内容を再び完全に記憶し直すまでに必要な時間、または回数をどれくらい節約できたかを表す割合）は58％、1時間後は44％、1日後は26％であることが判明。つまり、1時間で記憶の半分以上、1日経てば4分の3を失っていたのだ。結果は〝忘却曲線〟と呼ばれるグラフで表され、人間がいかに忘れてしまいやすい生き物かがデータで示されていたが、曲線には続きがあり、1週間後の節約率は23％、1ヶ月後でも21％と数値の極端な減少は見られなかった。一定期間覚えている内容は、なかなか記憶から消えないようだ。

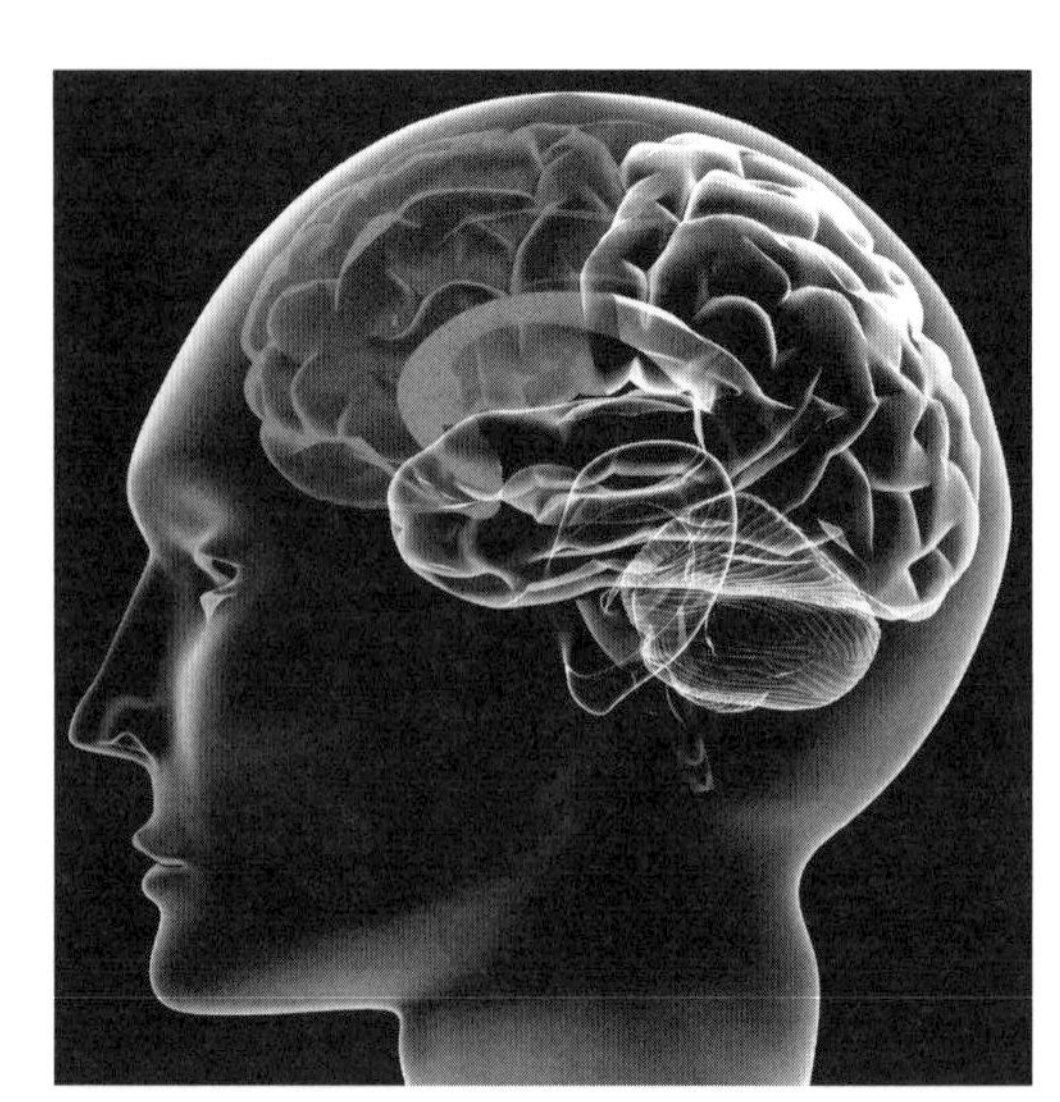

1日経てば、脳に残る記憶はたったの26％

遺伝子の位置が原因

「青い瞳」の人はアルコール依存症になりやすい

アルコール依存症。大量の酒を長期間飲み続けることにより、自らの意志で飲酒行動をコントロールできなくなる精神障害だ。

2015年7月、米バーモント大学の研究チームが、この厄介な依存症には「青い瞳」の人が陥りやすいとする研究結果を発表した。研究チームによれば、以前から診療所を訪れるアルコール依存症の患者に青い瞳の人が多いことに着目。そこで、アルコール依存症を含む様々な精神疾患を持つ約1万人の遺伝子データベース（大多数がアフリカ系とヨーロッパ系の米国人）を作成し、アルコール依存症のヨーロッパ系約1千200人を選出、瞳の色とアルコール依存症との関連を調べた。結果、瞳の色が明るい人は、暗褐色の人よりアルコール依存症の発症率が高く、特に青い瞳の人が最も高いことが判明した。この理由について研究チームは、瞳の色を青く決める遺伝子と、アルコールを過剰に摂取することに関係のある遺伝子が並んで位置しているためと説明している。

第3章

知らなきゃよかった！本当は怖い実はウソ

女は恋をすると綺麗になる

男性のフェロモンをキャッチすることで体が老いていく

いつまでも若さと美貌を保ちたい女性たちにとって、ショッキングな研究結果が発表された。2016年9月、米ノースウェスタン大学ウェインバーグ総合学院の研究チームが、学術誌『Current Biology』に掲載した報告書によると、男性が発するフェロモンに女性の老化を促進する作用が含まれており、恋する女性が綺麗になるという定説が覆ったというのだ。

研究チームは、カエノラブディティス・エレガンスという透明な回虫を用い、「快適な研究室の中ではなく自然界に近い環境で、どのように動物が生殖をするか」を調べていた。が、彼らは思いもしなかった現象に目が釘付けになってしまう。オスの回虫が発する2つのフェロモンで、若いメスの性的成熟が促進され、生殖の準備が整うことが確認されたというのだ。

加えて、そのフェロモンは成虫のメスにとっては生殖系の衰退を遅らせ、より長く子孫を残せるようになる効果をもたらす一方、全身の老化を早めていることが判明する。マウスを用いた実験でも結果は

恋をすると女性ホルモンで肌つやは良くなるが…

同じ。研究チームは、このことから、人間を含めたほとんどの生物にも同様の作用が存在するのではないかと推測。同時に、今後の研究しだいでは、女性のアンチエイジングに劇的効果をもたらす新薬の開発や、妊娠の年齢的リミットを上げる画期的方法の発見にもつながる可能性があるそうだ。

言ってみれば、オスという存在そのものがメスの性的成熟に一役買うと同時に、メスの老化を早める〝見えないスイッチ〟も握っていたということになる。これは「女は恋をすると綺麗になる」という定説が証明されたように思えるが、実は真逆。生物学的にみれば、男性のフェロモンをキャッチすると女性の体は老けてしまうのだ。美を保つには、男を遠ざけた生活を送るに限る!?

練炭自殺はラクに死ねる

手足のマヒ、頭痛、痙攣など、実は地獄の苦しみ

2000年代初め頃から、インターネットを介して集まった自殺願望者が練炭で集団自殺を図る事例が多発した。理由は、「ラクで綺麗に死ねる」かららしい。

確かに飛び降りや、入水（じゅすい）、鉄道飛び込み、首吊り自殺に比べれば、体が損壊されることもなく、一酸化炭素中毒を起こした人の肌はピンク色になるため、一見、安らかに眠っているようにも思える。

昭和のドラマでは、自殺といえば自宅でガスが定番だった。当時の都市ガスには、多いものでは10％もの一酸化炭素が含まれていたので、自宅でガス栓をひねれば確実に死ねた。が、現在は都市ガスの一酸化炭素をほとんどカットしただけでなく、特有の不快臭を含ませ安全性を高めてある。それを知らずに自殺を図ろうとガス栓を全開にしたところで、いつまでたっても苦しくならず、死ねる気配がないため、思わずタバコを吸おうとライターで火をつけ爆死したなんて、コントのような事故まであったらしい。

同様に、車の排気ガスにも昔は多くの一酸化炭素が含まれていたため、排ガスを車内に取り込んで自殺するパターンも多かった。が、触媒の進歩によって現在では一酸化炭素濃度は非常に低くなっており、もし排気ガス自殺を図れば、窒素酸化物など刺激性の強い成分で地獄の苦しみを味わうことになるそうだ。

練炭自殺も、要は一酸化炭素中毒の果ての窒息死である。苦しくないはずがない。練炭の不完全燃焼によって一酸化炭素濃度が上昇するにつれて末梢神経がマヒし、まず手足が動かせなくなる。その間には凄まじい吐き気と、酸欠による猛烈な頭痛が襲ってきて、やがて、呼吸ができなくなる。

人によっては幻覚を伴う精神錯乱状態になったり、痙攣を起こしたり、失禁する場合も少なくない。肌がピンク色なのも死後30分ほどだけ。後はドス黒く、醜い姿を晒す。ラクに死にたいのが目的なら、自殺を思い留まった方がよほど賢明だろう。

問題は、気にしすぎによる体調不良

スマホの電波は体に悪い

もはや存在しなかった時代に戻ることなど考えられないほど、我々の生活に必要不可欠なのがスマートフォンである。が、皆さんは聞いたことがないだろうか。スマホから出る電磁波が健康に害を与える、と。

スマホを持ち出すまでもなく、我々の生活は電磁波まみれだ。電波、放射線、赤外線、紫外線、可視光線、マイクロ波も全て電磁波で、太陽や雷など自然界のものや、電子レンジ、テレビ、パソコンなどの電化製品、送電線などからも電磁波は出ている。普段、それを気にしている人など、ほとんどいないだろう。

問題は、電磁波自体ではなく、電磁波の「波長」である。例えば、波長が短い紫外線やX線、ガンマ線などはとても強いエネルギーを持ち、皮膚などを貫通して細胞の中の染色体を破壊してしまう。染色体が壊れた細胞はガンになりやすいため、波長が短い電磁波は有害とされている。その一方、無線通信やテレビ放送、ラジオ放送などに用いられている電磁波は波長が長く、人体への影響はないというの

が一般的見解だ。
肝心のスマホには、実はマイクロ波という、電波の中で最も短い波長域の電磁波が使われている。そのため、人体に悪影響があると騒がれるようになったと思われるが、世界各国で設定したガイドラインでは、健康被害が出るほどスマホに強い電波は使われていないとしている。
それでも世界中に、スマホの電磁波が原因と思われる体の不調に苦しんでいる人たちがいるのも事実。「電磁波過敏症」と名づけられた症状には、チクチクした感覚や頭痛、疲労、睡眠障害、集中力の低下、めまい、吐き気などがあるものの、電磁波との因果関係や医学的根拠はない。電磁波を浴びているというストレスが主な原因のようだ。
スマホの電磁波が体に害を与えるという科学的根拠はないが、体調を壊すほど心配なら、不要な電磁波を避けるのが賢明だろう。

リサイクルは地球に優しい

エコグッズは逆に悪影響を与える可能性大

技術の発達や環境の変化で、以前は有益だったものがそうでなくなる場合もある。「リサイクルは地球に優しい」もしかり。この、誰もが常識と考える定説の疑わしき点を、エコグッズごとに紹介しよう。

◉エコバッグ

レジ袋は石油の捨てる部分を利用して作っているので資源の無駄とはいえず、逆にエコバッグを作る材料の方が、レジ袋より確実に環境に負担をかけている。しかも、ゴミ捨て用にレジ袋を使い回せば無駄がないのに、わざわざ専用の袋を買わせるのはおかしい。

◉マイ箸

国産の割り箸は端材で作られているが、海外製は端材を使わず作られる。よって、輸入モノが増えると日本の端材はゴミになり、海外では森林伐採が進む負のスパイラルに。また、森林伐採以上に恐ろしいのが、日本で使用される97％を占めるともいわれる中国産の割り箸だ。製造過程で強力な防カビ剤

や、見栄えをよくするための漂白剤等が大量に使われ、洗浄されることなく国内へ入ってくる。

◉生ゴミコンポスト

自宅で出た生ゴミを処理して堆肥(たいひ)を作るコンポストは、効果的なリサイクルに思える。が、虫が湧いたり悪臭がしたり、また、食品の添加物など有害物質が残ってしまう問題もある。もし有害物質の入った肥料ができたとしても素人にはわからず、家庭菜園でその堆肥を使って野菜を作り、そのまま食べてしまう危険も。

◉古紙のリサイクル

2008年に発覚した、リサイクル紙の偽装問題を覚えているだろうか。100%リサイクルを謳(うた)った紙が実は大ウソで、ほとんどリサイクル紙は使われていなかった。そのお詫び会見で、偽装した製紙会社の責任者はこう説明した。「リサイクル紙を作るには、資源をかえって多く使う」。

以上、リサイクルが逆に地球に悪影響を与えているケースがあることもお忘れなく。

人類は猿から進化した

教科書の解説は間違い

「ダーウィンの進化論」を持ち出すまでもなく、人類が猿から進化したとの説は当たり前のように信じられている。中学・高校の教科書に掲載されていた、猿から人間に至る進化のプロセス図も、誰もが一度は目にしたものだ。しかし、科学が進歩するにつれ、覆される常識もある。この進化論も、そのひとつだ。

これまで人類は、以下の順で進化したと考えられていた。

①アウストラロピテクスなどの「猿人」
②ジャワ原人・北京原人などの「原人」
③ネアンデルタール人などの「旧人」
④クロマニョン人などの「新人」

最近、この考えが誤りであることを示す証拠が、いくつか発見されている。

米アリゾナ州トゥクソンにある考古学研究所の所長ジェフリー・グッドマンが、南アフリカの化石や

教科書で一度は目にしたことのある
人類の進化プロセス

東アフリカの化石を確認したところ、数多くの証拠から、人類と「アウストラロピテクス」「ネアンデルタール人」が同時代に存在していたことが判明したという。つまり、現生人類が猿人や原人から進化したのではなく、当初から人類として存在していたというわけだ。

では、「猿から人類への過渡的状態を示す中間型」とされてきたアウストラロピテクスや、ジャワ原人、北京原人、ネアンデルタール人などは、いったい何だったのかという疑問が残る。教科書には、証拠として化石まで載っていた。結論から言えば、1個体丸々発掘された化石は皆無で、頭蓋骨や歯、大腿骨が同一個体のものかどうか不明なまま結びつけられていたにすぎない。北京原人については、人と猿の骨が交じっていると考えられ、進化論を推奨する科学者たちも、類人猿に似た動物から人類へと姿を変えていく「化石上の痕跡」は、ひとつもないと認めている。

つまり、猿は初めから猿として存在し、人間も初めから人間として存在。猿も人も同時代に地球上に生まれ、同時代に生活を始めたと考えるのが正しいようだ。

科学的根拠は皆無

「サブリミナル効果」には影響力がある

人間の潜在意識を無意識のうちに刺激して影響を与えることを「サブリミナル効果」と呼ぶ。よく知られているのは、テレビ映像などに言葉や画像を一瞬だけ表示して見せる方法だが、実はこれ、科学的根拠は一切ない。

サブリミナル効果は19世紀半ばから研究が始まり、第二次世界大戦中には軍事目的に使用された。一般に注目が集まるのは１９５７年、米ニュージャージー州の市場調査員ジェームズ・ヴィカリーによる実験報告が行われてからだ。ヴィカリーは記者会見を開き、映画館で上映している映像内に「コカ・コーラを飲め」「ポップコーンを食べろ」というメッセージが書かれたスライドを３千分の１秒ずつ５分ごとに繰り返し二重映写したところ、コカ・コーラは18・１％、ポップコーンは57・５％売上が増加したと発表した。

これが本当なら、わざわざＣＭを流す必要がなくなると、世間から賞賛を浴びると思っていたヴィカ

リーだが、思惑は外れる。国民に、洗脳に対する恐怖と反感を呼び起こした結果、サブリミナル効果を用いた宣伝は公正を欠くとして、翌年から米政府が使用を禁止したのだ。

たまらず1962年、ヴィカリーは、十分な調査は行われず実験はウソだったと告白。また、カナダのグループがテレビ番組を使った実験を行ったものの、まったく効果が得られないこともわかった。

それでも日本やアメリカをはじめ、現在もサブリミナルを用いた表現を禁止している国は多い。理由は単純で、「サブリミナル効果」というものがあまりにもインパクトがあり、人々の間に広がりすぎてしまったからだ。

日本では、1989年、日本テレビ系列で放送されたアニメ「シティーハンター3」の中で、オウム真理教の麻原彰晃（元死刑囚）の写真を1カット挿入したり、1995年、地下鉄サリン事件の2ヶ月後にオウム真理教特集を放送していたTBSの「報道特集」内で、麻原彰晃や血の付着したナイフのアップなど、計16カットが意図的に挿入され、大問題になっている。

1957年、米ニュージャージー州で映画の上映中に映写した「ポップコーンを食べろ」というサブリミナル画像

寝つけないとき「羊が一匹、羊が二匹…」と数えると眠れる

「羊」を日本語で発音した時点で効果ゼロ

なかなか寝つけないとき、羊を数えればいいという。これは、西洋の羊飼いが眠くなるまで羊を数えていたのが由来で、英語の「スリープ（眠る）」と「シープ（羊）」の発音が似ており、共にゆっくり息を吐きながら発するため、自然と腹式呼吸になり、眠りやすいというのが定説だ。

いずれにせよ、日本語で「羊が一匹、羊が二匹…」と言わなくてはならない時点で、日本人には無意味。単なるおまじないである。

では、英語圏の人に効果があるかといえば、それも違うようだ。2002年、英オックスフォード大学で、被験者を**①羊を数えるグループ**、**②何もしないグループ**、**③静かな海辺や小川など自然を思い浮かべるグループ**の3つに分け、どのグループが早く入眠できるかという実験が行われた。結果、他のグループより平均20分早く眠りについたのは③。実験は、羊を数えるより、自然を思い浮かべる方が眠りやすいと証明した。

日本でも、同様の実験が行われている。２０１２年、広島国際大学の研究チームが、眠くない状態の学生14人を選び、昼間に実験を実施。それぞれの学生について、**①羊を数えて眠る**、**②腹式呼吸で眠る**の2通りを試し、どちらが早く眠れるのかを調査した。結果、うとうとまどろんだ際に出る脳波が現れるまでの平均時間は、羊を数えたときが14分4秒。それに対し、腹式呼吸は9分32秒と短かったという。さらに、実験を行った20分間に3分以上継続して眠りに落ちた学生は、羊を数えたときが5人。腹式呼吸のときは9人と、約2倍の結果に。

これらの研究が全てではないだろうが、少なくとも眠れないときに羊を数えたところで、ほとんど無意味なようだ。

極端に飲み続けない限り心配無用

コーラで歯が溶ける

子供の頃、親に「コーラは歯が溶けるから飲んではいけない」と言われた人は少なくないだろう。昔は、コーラに抜けた歯を長時間浸け込む実験を行い、スポンジのようになった結果をポスターにして小学校などに貼り出すケースもあったほどだ。

歯の主成分はリン酸カルシウムとリン酸マグネシウムで、酸に溶ける性質を持っている。酸を含んだ液体に長時間浸けておけば溶けるのは当然のこと。だが、酸が含まれているのはコーラだけではない。ほとんどの炭酸飲料や、酢や果物、調味料、ヨーグルトにだって含まれ、稀に、黒酢を長年飲み続けた結果、歯の表面を覆うエナメル質が溶けたという症例がある。

ただし、通常はこうした飲食物が歯に触れているのは短時間で、しかも唾液の中和作用によって守られている。それこそ、口が渇く間もないほど飲み続けない限り、コーラで歯が溶けることはない。

コーラなど炭酸飲料は、カロリー過剰摂取による肥満の方を心配すべき

リラックスできるだけで、視力向上の効果はゼロ

「遠くの緑」は目に良い

緑を眺めると目の緊張がほぐれることは確かだが…

小学生の頃、視力検査に引っかかると、親は有無を言わさず「遠くの緑を見なさい」と命令してきた。確かに、パソコンやスマホを長時間見た後に遠くの景色や星空を眺めれば、緊張した目の周りの筋肉が弛緩し、リラックスできる。しかし、それだけで目が良くなることは、医学的に絶対にありえない。

ちなみに、視力回復トレーニングのひとつに「遠方凝視法」なる訓練法がある。これは、少しぼやけて見える山や、部屋のカレンダーなどを両目で集中して10〜20秒見つめるもので、目の周りの毛様体筋(もうようたいきん)を鍛えて眼球のピント調節する力を取り戻すトレーニング方法だ。これがひとり歩きして「遠くの緑を見ると目が良くなる」と広まったと思われるが、この遠方凝視法と、目の前に出した自分の指先と部屋の壁など、近くと遠くを交互に凝視する「遠近体操法」を一緒に行わないと全く効果はない。

運動や禁煙の方がよほど効果的

減塩すれば血圧が下がる

高血圧の人は、塩分を減らすのが最優先といわれる。確かに、塩分を摂りすぎて体液のナトリウム濃度が上がると、体はこれを薄めようとして水分をため込み、血液量が増え、血管にかかる圧力が高くなる。これが、塩分（ナトリウム）が血圧を上昇させる仕組みだ。

しかし、血圧を上げるのはナトリウムだけではない。喫煙や肥満、運動不足、過度な飲酒、睡眠不足、過度なストレスなどが大きく関係。減塩より、これらの要因を軽減する方が、血圧を下げるには効果的なのだ。

塩分による血圧上昇には個人差があり、塩分の摂取量を減らしても血圧が下がらない人も少なくない。また近年は、肥満やメタボリックシンドロームが原因の高血圧が急増しており、タバコをやめたり運動をする方がはるかに有効といわれている。だからといって「塩分は気にしなくて大丈夫」ということではない。摂りすぎには十分、気をつけたい。

塩分の摂りすぎは、脱水症状や骨粗しょう症、
胃ガンの進行を早める可能性なども指摘されている

単なる言い伝え。死ぬことも発狂することもない

寝言に返事をしてはいけない

寝言は眠りの浅い状態を示し、そこに声をかけると睡眠の質が低下するらしい

家族や恋人、友人が寝言を言ったとき、うっかり返事をしてしまい、青ざめた経験はないだろうか。「寝言に返事をすると（相手が）死ぬ」との俗説があるからだ。

昔の日本人は、眠っている人は仮死状態になり、魂が体から抜け出し「黄泉の国＝あの世」に行っていると信じていたという。よって、あの世にいる状態の人に返事をしてしまえば、魂と肉体が分離して、現実世界に戻れなくなる、つまり死んでしまうと考えられていたらしい。

さらには、返事をすると発狂してしまう説、寝言で会話をしたら話を終わらせた方が死んでしまう説、寝言に返事をすると寝ている人の脳が混乱して夢遊病になる説など、日本各地には迷信としかいえない言い伝えが無数にあったそうだ。

ちなみに現代科学では、寝言を言うのは眠りが浅く脳の一部が起きている状態と定義されており、そこに返事したところで大事に至ることはまずありえない。

キリスト教圏で生まれた単なる俗説

「13」は縁起の悪い数字

日本人の多くが、数字の「13」を不吉と考えるのは、1980年に公開以来、通算10本も制作された映画「13日の金曜日」シリーズの影響が大きい。ホッケーマスクを被ったジェイソンは、殺人鬼の代名詞となった。しかし実際に嫌われている「忌み数」といえば、死と苦を連想させる4と9。4号室や9号室などを避けるホテルやマンションは少なくない。逆に、昔から数え年で13歳を迎えた子供の祝いとして「十三参り」をするように、決して13は縁起が悪い数字とは考えられていなかったはずだ。

13を「忌み数」とするのはキリスト教圏で、イエスを裏切った弟子のユダが13番目の弟子だった説や、イエスが処刑されたのが13日の金曜日だった説などが基になっている。が、いずれも俗説で、聖書には「ユダは12人の弟子の1人」と書かれ、イエスが処刑された日については記述がない。

またアメリカも、建国時の州の数が13だったため、当時は吉数とされたともいわれている。

映画「13日の金曜日」の影響も少なくない

序列はそもそも存在していない

江戸時代の身分制度は「士農工商」

江戸時代には身分制度があり、大きな格差が存在したことはよく知られている。30代以上の人なら、社会科や日本史の授業で「士農工商」という序列があり、士（武士）を頂点に、農（農民）、工（職人）、商（商人）の順で身分が固定されていたと習っただろう。農民を腐らせないため、「農」を2番目に置いたと教えられた人も多いはずだ。

最近の歴史の教科書には
「士農工商」に関する記述はない

ところが現在は、身分格差があったことは事実として確認されているが、「士農工商」という序列は存在しないことが実証的研究から明らかになっている。

江戸時代の身分は、武士を上位に、その下に農民と町人が並ぶ。そもそも「工＝職人」という概念はなく、町に住む人は町人、村住みは農民とみなされていた。

また、江戸時代の職業は世襲制が原則とはいえ、農民・町人間での職業移動は比較的簡単で、例えば勝海舟の家は、曾祖父が村から町へ出て、高利貸しで成功した後、旗本株を買って武士になったそうだ。

ステーション内で浮いているのは遠心力のため

宇宙は無重力

テレビなどで国際宇宙ステーションからの映像を見る機会が増えたせいだろう、今や宇宙は我々日本人にも身近な存在となった。向井千秋さんや毛利衛さんら日本人宇宙飛行士たちが、ふわふわ浮いている姿は強く印象に残っている。そこで思ったはずだ。彼らが浮遊しているのは、宇宙に重力がないからだ、と。しかし、これは大きな間違いで、宇宙は無重力ではない。その証拠が月の存在で、地球から約38万キロも離れているのに月がどこかへ飛んでいってしまわないのは地球の重力が働いているためだ。

重力(万有引力)の強さは距離の2乗に反比例するため、地球の中心を重心と仮定して、中心から約6千400キロ離れた地上での重力を100%とすると、国際宇宙ステーションがある高度約400キロでは、約88%。つまり60キロの体重の人が約53キロになる計算で、決して無重力ではない。

宇宙ステーションで飛行士たちが浮いているのは、地球の周りを約90分で1周という高速で回るため、遠心力と重力が釣り合い、無重力状態が作られているからにすぎないのだ。

船内が無重力状態になっているだけ

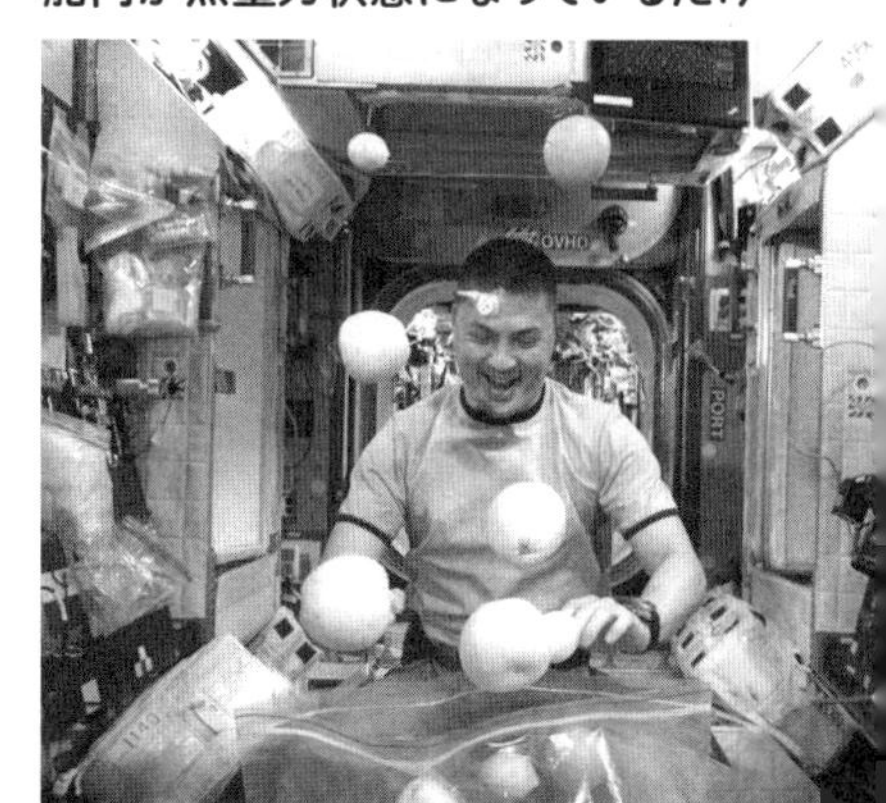

単に刺激しても効果なし

おっぱいは揉まれると大きくなる

おっぱいは9割が脂肪でできているので、揉み方によっては脂肪が分解されて、逆に小さくなる場合も

セクハラが世で問題視される以前は、胸の小さな女性に対し「彼氏に揉んでもらえば大きくなる」とからかうのがオジサンの典型的下ネタだった。が、オジサンが意図するような、セックス時にエロい気分で揉んでいるだけでは胸は決して大きくならない。

そもそも胸は、大胸筋の上にある脂肪と乳腺組織でできており、それを「クーパー靭帯」が繋いでいる。おおざっぱに言えば、母乳を作る役割を担った乳腺を、脂肪が守っている形だ。

つまり、胸を大きくする＝脂肪の量を増やすことで、そのためには女性ホルモンの分泌を活性化させ、乳腺を発達させなければならない。バストアップに関係するのは女性ホルモンのうちの「エストロゲン」なるホルモン。興奮時に分泌されるドーパミンや、幸福時に分泌されるセロトニンに刺激されるので、胸を揉まれても揉まれなくてもドキドキすればエストロゲンが分泌され、大きくならないとも限らない。もっとも、相手は好きな人限定だが。

精子が1週間生き続け、後に受精する可能性も

生理中にセックスしても妊娠しない

生理中なら妊娠しないからと、避妊せずセックスをした経験のある人は多いだろう。しかし、これはまったく根拠のないデタラメである。

適齢期の女性の体は、月経期、卵胞期、排卵期、黄体期からなる生理周期をおよそ1ヶ月かけて繰り返す。いわゆる生理とは月経期を言い、妊娠の可能性が最も高いとされているのが排卵期だ。

月経期は、子宮内膜が剥がれ落ちるため妊娠の可能性はないように思えるが、セックスの刺激で排卵を起こす場合もある。また、そのときには排卵しなくとも、精子は女性の膣内で3日から1週間も生き続けるため、後になって受精する可能性がないとも限らない。

そもそも生理中の膣内は、細菌の多い経血が行き来し、さらに新しい子宮内膜が作られようとするナーバスな状態にあり、性病をはじめ感染症に罹患しやすくなっている。生理中のセックスは、妊娠だけでなく、様々な危険があることを忘れずに。

視力低下の原因は「暗さ」よりも「距離」

暗い部屋で本を読むと目が悪くなる

「暗いところで本を読んじゃダメ」

子供の頃から何度も親に言われたセリフだが、結論から言えば、この説に医学的根拠はない。視力の低下は、暗さよりむしろ距離が重要である。

文部科学省が2019年12月に公表した「学校保健統計調査」によると、裸眼視力が「1・0未満」の小学生の割合は約34・6％と過去最高を記録した。近視の原因は「遺伝的要因」と「環境的要因」が主で、現在、最も大きい環境的要因は、テレビやスマホを近くで見続けていることに他ならない。近くのものを見つめ続ければ、目のレンズである「水晶体」を調整する機能を担っている筋肉「毛様体筋」が凝り固まり、水晶体の調整ができなくなってしまうのだ。

照明がなかった時代よりも現代の人の方が近視が多いのも、暗さが近視の原因ではないとされる理由のひとつだろう。だからといって、暗い部屋で本を読んでも大丈夫というわけではない。暗い環境で読むと焦点が合いにくく目が疲れるうえ、暗ければ必然的に本を目に近づけざるを得なくなる。いずれにせよ、暗い中では本を読まない方がベターだろう。

手足を伸ばす準備体操がケガの原因に

運動の前にはストレッチが必須

日本の小・中学校では、体育や水泳などで体を動かす前には、必ず手足を伸ばす準備体操をするよう教えられた。大人になっても、ジョギングやジムで汗を流す前に、体をほぐすことを習慣づけている人は少なくないはずだ。が、実は10年ほど前からは、「運動前のストレッチはケガをしやすい」というのが新常識となっていることをご存じだろうか。

ケガに繋がるのは「静的ストレッチ」と呼ばれる、筋肉の筋を伸ばすような運動だ。まさに学校で習った手足を伸ばす体操だが、関節の可動域が低下するため、かえってその部位の動きを妨げてしまうらしい。実際、静的ストレッチを行った後に短距離走や垂直跳びの記録が著しく落ちたという研究報告もあるそうだ。

では、どんな準備体操が正しいのだろうか。静的の反対「動的ストレッチ」と呼ばれる軽いランニングや、そのスポーツを行う一部の動作を繰り返すウォーミングアップが最適のようだ。さらに、運動後も同じような動きでクールダウンを行うことで、よりリラックスできる効果も報告されている。

走る前の「アキレス腱伸ばし」はケガのもと!?

過剰な報復を禁じた文言

「目には目を、歯には歯を」は「やられたら、やり返せ」という意味

「目には目を、歯には歯を」という文言を、やられたらやり返せの意味合いだと認識していないだろうか。それは、本来の意図と違う。

この言葉は、紀元前18～15世紀、メソポタミア地方で栄えた古代バビロニアの初代統治者ハンムラビ王が発布した『ハンムラビ法典』の一節である。確かに意味は、目を潰されたら相手の目を潰し、歯を抜かれたら相手の歯を抜くべきだという「同害報復」の思想を端的に表現したもの。現在の社会状況で考えれば、報復を認める野蛮な規範と解されかねない。

しかしこれは、仕返しはやむなしとしても、報復は同害までと限界(目をやられたら目以外に害を加えない)を定めているにすぎない。過剰な復讐合戦を禁じ、罰則の拡大を防いでいるのだ。

当時は奴隷制が敷かれていた時代。恐らく奴隷の命が軽んじられていたのだろう。法典のあとがきには、「強者が弱者を虐げないように、正義が孤児と寡婦とに授けられるように」の文言がある。

ハンムラビ法典を刻した石碑

よほど大量に摂取しない限り心配無用

「焦げ」を食べるとガンになりやすい

食事中、肉や魚の焦げた部分に手をつけない人は多い。「焦げ」を食べるとガンになると、無意識のうちに刷り込まれているからだ。

実際、動物性タンパク質の焼け焦げからは、アミノ酸の変化によって発ガン性が確認されている。が、問題なのはその量だ。焦げの中に含まれる発ガン性物質は非常に少なく、体重の4倍以上の焦げ、つまり焼き魚に換算して100トン以上を1年間、毎日食べ続ければガンになるというレベルでしかない。

しかも人間の体には、発ガン性物質や雑菌など、害のあるものが体内に入ると、自然に排除する力が備わっている。ことさら焦げの影響を心配する必要はないのだ。

実は、「焦げ」より強烈な発ガン性があるものが存在する。タバコや、食道が火傷するほど熱い食べ物は当然として、賞味期限切れのピーナッツなど豆類が危ない。これらは、発ガン性の強いカビがついている恐れがあるので食べない方が無難だ。

美味さの程度は適度に焦げた方が上

「無機ヒ素」がガンを発症させる危険も

玄米は体に良い

ダイエットのため白米ではなく玄米を食べる人は多いが

精白していない玄米は、食物繊維や鉄分、カルシウム、ミネラル、ビタミンB1やB6が豊富で、健康に良く、ダイエットにもピッタリの食材として人気を誇っている。が、一方で毎日玄米を食べると発ガンの危険が高まるとの意見もあることをご存じだろうか。

近年、ヨーロッパで、米に含まれる無機ヒ素が問題視されている。確かに無機ヒ素は大きな健康被害をもたらす発ガンのリスクも高い物質で、スウェーデンでは乳幼児に米を与えないよう勧告を出す事態にまで発展している。

しかし、本当に米がそこまで危険であれば、米を主食とする日本人は、なぜ世界一の長寿を誇っているのか。実際、農林水産省は、米の無機ヒ素は玄米の外側についている糠の部分に多く含まれるため、白米をよく研いで食べれば問題ないとしている。逆に、精白していない玄米は、丸々無機ヒ素成分を口にしてしまうため、危険かもしれない。

2人とも死ぬのがオチ。やるべきことは他にある

裸で抱き合えば凍死を防げる

昭和のテレビドラマでは、男女が雪山で遭難するシチュエーションがよくあった。山中で迷い、やっと見つけた避難小屋。ガタガタ震える彼女に男性が声をかけながら互いに裸になって抱き合う——。

これで凍死を防げると思ったら、大間違いだ。人肌で温められるのは、あくまで温める側が平常状態の場合のみ。そうでない限り、2人とも裸の状態では確実に凍死してしまう。

現実に遭難した登山者は、もっと合理的な方法を採る。まずは着替えだ。濡れた服は気化熱を奪うので、下着まで全身、乾いた服に取り替える。次に湯をわかし、温かい飲み物で体の中から温め、寝袋に入る。このとき2人で入れば温まりやすい。

しかし、手足が凍傷にかかっているようなら、指をしゃぶったり、わかした湯でゆっくり温めたり、やることはいろいろある。雪山に限らず、凍死の危険が迫っているときに、裸で抱き合うのは愚の骨頂だ。

自ら死を引き寄せているも同然の行為

メスが卵を産んだ途端にオスが豹変

「おしどり夫婦」の由来、おしどりは生涯仲が良い

おしどりは毎年、相手を変える

仲の良い夫婦を「おしどり夫婦」と言う。その昔、おしどりのつがいの1羽を捕まえると、もう一方が悲しみのあまり死んでしまったという言い伝えが由来だ。

確かに湖などで泳ぐおしどりのつがいは、いかにも仲睦まじげに見える。オスは自分のメスを守ろうと必死で、外敵が現れると羽をバタつかせ、まるで自分が傷ついているかのように振る舞い、外敵の目を引いている間にメスを逃がす。まさにベタ惚れだ。

ところがメスが卵を産んだ途端、オスは豹変する。何もしないどころか、別のメスを探しに飛び立ってしまうのだ。しかも、そんな〝悲劇〟が毎年、繰り返される。つまり、おしどりは一生同じペアで過ごすのではなく、毎年、相手が違うのだ。実は、ほ乳類で一夫一婦制なのは全体の約3％だけ。ほとんどがハーレムを作っているが、鳥類は約95％が一夫一婦制。中でも寿命の長い鶴は40年以上も同じ相手と生活を共にする。仲の良い夫婦は「つる夫婦」と称するべきだろう。

食事制限の方が近道

ダイエットには運動が一番

ダイエットの原則は、消費カロリー>摂取カロリーにすること。つまり、運動するか、食べる量を減らすしかない。ただし、食事制限で痩せるとリバウンドしてしまう危険性があるのに対し、運動で痩せた場合は基礎代謝が上がることで体が引き締まる。結局、運動で痩せるのが一番というのが一般的認識だ。

ところが実際は、ボディビルダー並みの筋肉をつけても基礎代謝はほとんど上がらず、食事制限にせよ運動にせよ、元の生活に戻ればリバウンドするのは同じ。また、有酸素運動をすれば脂肪がどんどん燃えるといわれているものの、5キロ走ったところで消費するカロリーは、たった220キロカロリー。おにぎり1個分でしかない。5キロ走るのと、おにぎり1個を我慢するのと、どちらがいいかは人によるだろうが、単純に痩せるだけなら食事制限の方が近道だ。もちろん、体の線をきれいにするには、適度な運動も欠かせない。

5キロ走ったところで、おにぎり1個分のカロリー消費にしかならない

牛は「赤」を見分けられない

闘牛は赤い色に興奮する

マタドールが持つ布が赤いのは、血や危険なものを観客に連想させ、場を盛り上げるため

スペインの伝統行事である闘牛。血眼の牛が、マタドール（闘牛士）の振る赤く染まった大きな布めがけて突進する様は、まさに情熱の国スペインの象徴である。マタドールが牛に立ち向かう際に使うのは、真っ赤な布（ムレータ）のみ。それをかざし、牛を挑発するため、牛は赤い色に興奮しているように思える。

しかし、これは間違い。牛は、犬や猫と同じように赤と緑の見分けができない「赤緑色盲」で、色覚は持っているものの、赤から緑がかった色については区別がしにくく、赤と茶など類似した色の区別は不可能。つまり、人間が感じる赤い色を、はっきりと認識することはできないのだ。

では、牛は何に興奮しているのかといえば、マタドールが登場するまでに助手たちが馬で追ったり槍で刺すなどして極限状態に追い込まれるため、いざマタドールが布を振ったとき、動くモノに反応する習性で突進してしまうのだ。早い話、布の色は何でもいいのだ。

仏教とは無関係の完全な迷信

友引の日に葬式をしてはいけない

「友引」に葬式をしてはいけないというのは、仏教とはまったく関係のない完全なる迷信にすぎない。

そもそも友引は、暦上の日を「大安・赤口・先勝・友引・先負・仏滅」という6種の吉凶日に分けた中国発祥の暦注「六曜」のひとつで、かつては「共引」と書き、先勝と先負の間の、吉でも凶でもない「引き分けの日」を意味していた。それがいつの頃からか音が似ているために「友引」の字が当てられ、意味も漢字の語呂合わせに引っ張られて「凶禍や厄事に友人・知人を引き寄せる」と変化して広まってしまった。

そのため、今もこの迷信を信じ、友引に通夜や葬式などの弔事を避ける地域は少なくなく、特に年配の人は信じる傾向にある。

ちなみに六曜は、戦後、カレンダーを売るため日付の脇に書き込んだ、印刷会社の企業戦略である。

カレンダーに記された友引、大安などの「六曜」は、印刷会社が商売のために企画したもの

日	月	火	水	木	金	土
25 仏滅	26 大安	27 赤口	28 先勝	1 友引	2 先負	3 仏滅
4 大安	5 赤口	6 先勝	7 友引	8 先負	9 仏滅	10 大安
11 赤口	12 先勝	13 友引	14 先負	15 仏滅	16 大安	17 友引
18 先負	19 仏滅	20 大安	21 赤口	22 先勝	23 友引	24 先負
25 仏滅	26 大安	27 赤口	28 先勝	29 友引	30 先負	31 仏滅
1 大安	2 赤口	3 先勝	4 友引	5 先負	6 仏滅	7 大安

せいぜい髪の毛が丈夫になる程度

海藻を食べると毛が増える

薄毛対策に昆布やワカメを食べるのは無意味

薄毛の人に「ワカメを食べろ」というのは、定番のツッコミだ。ところが実際は、ワカメなどの海藻類を食べたところで髪が増えたり生えたりする可能性は極めて低い。

海藻類には、ミネラルやカルシウム、鉄分、亜鉛などの他、髪を生成する栄養素として欠かせないヨードが豊富に含まれている。これが「毛が増える」といわれるようになった理由と思われるが、ワカメや昆布は、薄毛改善に作用するわけではなく、あくまで生えている髪の毛を丈夫にしてくれる性質のもの。海藻類に増毛効果を期待しても虚しいだけだ。

ちなみに、脂肪分や塩分など、交感神経を刺激する食品の摂り過ぎは、髪にダメージを与えるそうだ。脂身の多い肉や魚、激辛料理、カフェイン飲料などの食べ過ぎや飲み過ぎには、くれぐれもご注意を。

酒の種類は無関係、問題は飲んだ量

「ちゃんぽん」で悪酔いする

飲み会などで、ビールに日本酒、焼酎と、いろいろな種類の酒を飲むと悪酔いするとよく聞く。実際、二日酔いになった朝、いろんな酒を〝ちゃんぽん〟したからだと認識している人も少なくないだろう。が、これは医学的にも生理学的にもまったく根拠のないデタラメである。

酒好きの方はご存じのとおり、同じ種類の酒ばかり飲み続けていると飽きてしまい、自然にピッチが落ちてある程度の酒量で止まる。対し、種類が変わると口当たりも変化し、たくさん飲めてしまう。結果、自分が飲んだ量がわからなくなり、最終的に摂取アルコール量が増え、悪酔いしやすくなってしまうだけのことなのだ。

逆に言えば、シャンパンで始めて、白ワインに赤ワイン、ブランデー、ウイスキー、日本酒、カクテルと、様々なアルコールを飲んでも、それが適量で、飲むスピードもゆっくりなら二日酔いにならない可能性が高い。

汗を流して体を温めた方が治りは早い

風邪をひいたら風呂はNG

風邪をひいたときは入浴を控えるべき。そう思い込んでいる人は多い。確かに、かつては風呂場が母屋の外にあったり、脱衣所に暖房機能が備わっておらず浴室が冷え切っていたりなど、入浴後に体が冷えてしまうような建築様式が当たり前だったため、入らない方が賢明だった。

しかし、現在は湯冷めをしないような住宅環境が整っている。お風呂で汗を流して体を清潔にし、湯船に浸かって体を温めた方が風邪も早く治るというのが常識だ。ただし、入浴方法には注意が必要で、半身浴ではなく、しっかり肩までお湯に浸かって体を温めることが重要。温度は体の芯まで温まり、かつ熱すぎない41度くらいに設定すること。また、長湯をすると体力を奪われてしまうので、だらだら入らないのも肝心だ。そしてお風呂からあがった後は、水分補給もお忘れなく。

もちろん、高熱にうなされている場合は、無理して入る必要はない。

100グラム当たり5キロカロリー未満なら表示OK

「ノンカロリー」はカロリーゼロ

最近は、「ノンカロリー」「カロリーゼロ」「カロリーオフ」といった飲料水や食品をよく見かける。消費者は当然、それらの表示があればカロリーが「ゼロ」だと思うが、実際は僅かながらカロリーを含んでいる。

ではなぜパッケージに堂々と「０キロカロリー」と表示しているのか？　これは食品に関する法律により「ノンカロリー」「カロリーゼロ」＝食品１００グラム（ml）当たりの含有量5キロカロリー未満、「カロリーオフ」＝１００グラム（ml）当たり20キロカロリー未満と定められているからだ。つまり、５００mlのペットボトルなら最大で24・9キロカロリーの熱量が含まれていても「ノンカロリー」と表示可能で、これはスティックシュガー２本分（1本3グラム）に相当する。

ちなみに、市販されている無糖の缶コーヒーは１００グラムで4キロカロリー、緑茶も2キロカロリーと微量のカロリーがある。知っておくべし！

表示の仕方で意味も違う

英国空軍の爆撃手がブルーベリージャムを食べていたという逸話に尾ひれが

ブルーベリーは目に良い

アンチエイジングには有効らしい

「目」に良いと信じられているブルーベリー。実用書をはじめネットなどにも、ブルーベリー類に多く含まれる「アントシアニン」が目を活性化して眼精疲労に効くと、もっともらしいことが書かれているが、実はこの話にはまったく根拠がない。

確かに「アントシアニン」には抗酸化作用があり、アンチエイジングに有効なことがわかっている。が、その効果を期待するなら安価なバナナやキャベツで十分だ。

では、なぜブルーベリーが目に良いとされたのか。ソースは、視力がいい英国空軍の爆撃手がブルーベリージャムを食べていたという逸話である。それに尾ひれが付き、いつのまにか定説となったのだ。

繰り返して言う。ブルーベリーが目に良い説には、科学的な根拠も実験データもない。ネットやドラッグストアで売られているサプリメントを使用したところで、決して効果は期待できない。

あくまで「発表されたその年に誕生した人の平均余命」にすぎない

平均寿命は死亡年齢の平均

世界保健機関（ＷＨＯ）が発表した「２０１９年版世界保健統計」（ＷＨＯ加盟の１９４の国と地域が対象）によると、２０１６年の平均寿命は世界全体で72・０歳。国別では、日本人の女性が87・１歳で世界２位、男性が81・１歳で世界3位。男女平均で日本は香港に次ぐ世界有数の長寿国となった。一方、平均寿命が最も短かったのはアフリカ南部の国・レソトで、52・９歳だという。

しかし、この「平均寿命」は年間で死亡した人の年齢を足し、その数で割った数値ではない。よって、例えば40歳の日本人男性が「平均寿命は80歳だから、普通ならあと40年近くは生きられる」と考えるのも大間違いだ。

平均寿命は「生命表」という統計の指標のひとつで、その算出法は極めて複雑。あくまで「発表されたその年に誕生した人の平均余命」にすぎないことを知っておくべきだろう。

日本は世界有数の長寿国だが、自分も長生きできると考えるのは早計

実験データは単なる「使用者個人の感想」

コラーゲンには美肌効果がある

パッケージに「美肌効果がある」とは記されていない

化粧品やサプリメントどころか、居酒屋のメニューに「コラーゲン鍋」まで登場するほど人気のコラーゲン。巷では〝吸収されやすい低分子〟が肌に良いとされているが、科学的根拠は皆無だ。

そもそもコラーゲンはブタの皮膚や魚の骨などを加熱処理して抽出したもので、つまり「ゼラチン」でしかない。体に害はないが、特別美容に効用があるものでもない。

それが証拠に、商品を見れば、『うるうる、ツヤツヤ』などイメージ喚起のキャッチコピーしか記されていないはず。科学的根拠のない商品に効能を書けば薬事法に違反するからだ。業者が広告として掲載している〝実験データ〟は、何人かが摂取した結果、キメが細かくなっただのと謳うだけだ。よくある「使用者個人の感想」にすぎない。

特集 知らなきゃよかった!

全国47都道府県ワーストランキング

誰しも自分の生まれ故郷で全国に自慢できるものの一つや二つは持っている。が、逆に他にはあまり知られたくない不名誉なものもあるはずだ。自殺率、凶悪犯罪、貧困度など最新のワーストランキングを紹介しよう。

魅力度 茨城が7年連続最下位

2019年10月、「地域ブランド調査2019」(ブランド総合研究所調べ)が発表された。これは、47都道府県と1千以上の市区町村を対象に、認知度やイメージなど全78に及ぶ項目について、20~70代の消費者を調査。3万1千人強からの有効回答を数値化したものだ。

その中で毎年話題になるのが「都道府県魅力度ランキング」で、14回目の発表となった2019年のトップは、2009年から11年連続となる北海道で、2位も11年連続の京都。3位東京、4位沖縄、5位神奈川と、トップ5は昨年と同じ。続く、7位奈良、8位福岡、9位石川、10位長野と、多少の前後はあるが顔ぶれに大きな変化はない。

一方、下位にランキングされた県も相変わらずで、43位栃木、44位徳島、45位群馬、46位佐賀、そして不名誉な最下位は7年連続で茨城となった。

茨城に関しては、もはや「魅力度ランキング最下位」が定

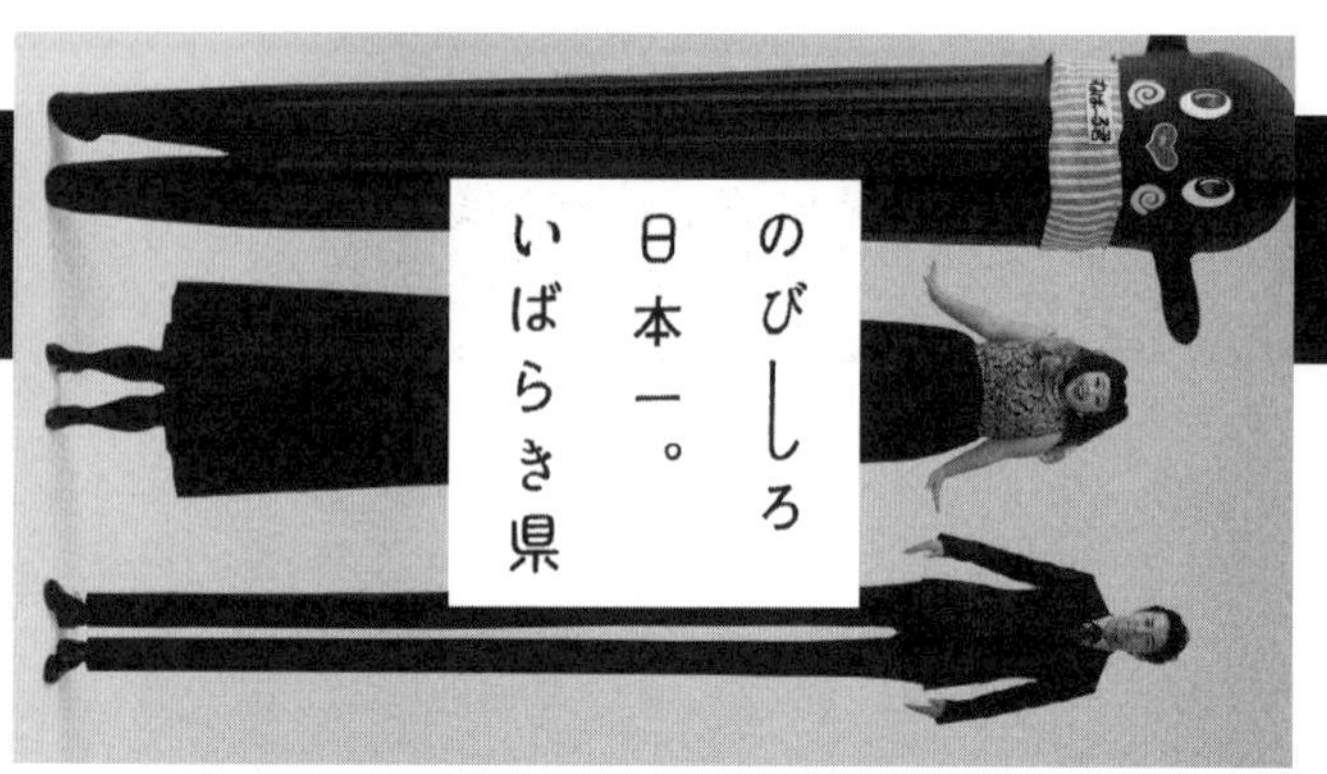

2015年11月、茨城は、県内出身のタレント渡辺直美と綾部祐二を起用し、魅力度最下位を逆手に「のびしろ日本一。」のキャッチコピーでPRキャンペーンを実施したが、その年から5年連続の最下位を記録

着。回答者側が忖度しているのではないかと疑いたくなってくるが、実はここ数年、茨城には観光客が押し寄せているという。定番の納豆はもとより、アサヒビール、ヤクルト、日本ハム、キユーピー、花王、カガミクリスタルなど、県内には東京ドーム５００個分以上の総面積の工場が建ち並び、〝工場見学の聖地〟として人気を博し、小学生の社会科見学の他、大型バスで訪れる団体客が引きも切らないそうだ。さらに、茨城は映画やＴＶドラマなどの撮影を積極的に誘致。２０１７年には「カメラを止めるな！」（水戸市の日芦山浄水場）など65本の映画に加え、１０９のドラマ、１９２のバラエティ番組、２４０作のＣＭ・ＭＶが撮影されている。

知らず知らず我々は茨城県のグルメや観光スポットなどを目にしているようだ。にもかかわらず、結果は安定の最下位。一度ついたイメージはなかなか払拭できないのだろうか。

魅力度 ワースト3

1位　茨城県
2位　佐賀県
3位　群馬県

犯罪

殺人、強盗は認知件数も発生率も大阪がワースト

日本で殺人、強盗、誘拐など凶悪事件が多い地域はどこか。2018年、警察庁が発表した犯罪統計資料を基に、都道府県別のワーストランキングをみていこう。

まず、殺人から空き巣、万引きまで「刑法に違反する犯罪」全体の認知件数は、ワーストが東京の約11万5千件、2位大阪の約9万6千件、3位埼玉の約6万件で、4位愛知、5位神奈川と続く。

これを各都道府県の人口で割り発生率に換算すると、ワーストが大阪、2位東京、3位埼玉。さらに4位兵庫、5位茨城と順位が入れ替わる。一般市民にとっては、認知件数より発生率の方が体感に近いのではなかろうか。

では、犯罪の種類ではどうか。まずは殺人。2018年の1年間トータルの認知件数は915件で、ワーストは大阪、2位東京、3位神奈川だが、発生率に直すとワーストは大阪で変わらないものの、2位沖縄、3位兵庫、4位茨城、5位福岡の順となる。

次に、窃盗の中でも悪質な「家屋に忍び込んでの強盗」をみると、総認知件数576件。ワーストは大阪、2位東京、3位愛知の順だが、発生率に直すとワースト大阪に続

ワースト3

殺人発生率		強盗発生率		強姦発生率		誘拐発生率	
1位	大阪府	1位	大阪府	1位	福岡県	1位	鳥取県
2位	沖縄県	2位	茨城県	2位	大阪府	2位	大阪府
3位	兵庫県	3位	岐阜県	3位	兵庫県	3位	滋賀県

2019年12月21日夜、北九州市小倉北区の路上で40歳の男性が刺されて死亡。警察は現場近くに住む48歳の男を殺人の疑いで逮捕した

くのは2位茨城、3位岐阜、4位群馬、5位愛知となる。どうやら窃盗犯たちは、都市部から周辺の地方に出向いて犯行を行っているようだ。

２０１９年2月、俳優の新井浩文が逮捕された（同年12月、東京地裁より懲役5年の実刑判決）ことで話題となった「強制性交等」、いわゆる強姦については、トータルの認知件数は1千３０７件で、ワーストは東京、2位大阪、3位福岡。発生率では、ワースト福岡、2位大阪、3位兵庫、4位茨城、5位京都の順だ。

２０１９年にも、大阪の小6女児がＳＮＳを通じて栃木の男性に連れ去られる事件が発覚したが、２０１８年は３０４件の「略取・誘拐・人身売買」事案が発生し、前年比では27％も増えている。こちらの認知件数ワーストは大阪、2位東京、3位愛知。発生率ではワーストは鳥取、2位大阪、3位滋賀、4位静岡、5位青森、6位愛媛、7位兵庫の順で続き、他の犯罪に比べ、静かな地方が狙われていることがわかる。

自殺率
都市部は低く、地方が高い傾向に

自殺死亡率　ワースト3

1位　山梨県
2位　青森県
3位　和歌山県

警察庁発表の自殺統計によると、2018年の自殺死亡者は2万598人。2010年以降、9年連続で減少しているそうだ。

年代別では50～59歳が3千225人で最多（2位40～49歳、3位60～69歳）。また、職業別では無職が半数以上の約1万2千人で、2位が被雇用者・勤め人、3位が自営業・家族従業者と続き、学生・生徒は812人に留まった。

問題の、都道府県別（自殺の発生地。自殺者の居住地とは異なる）のランキングは、単純に年間の自殺者数では、ワーストは東京（676人）、2位大阪、3位埼玉、4位神奈川、5位愛知と都市部が上位だが、人口に占める割合、つまり自殺死亡率を出すと、ワーストが山梨、2位青森、3位和歌山、4位岩手、5位新潟、6位秋田と、意外な県が上位に来る。ちなみに、自殺者数1位の東京は上から数えて30番目、2位の大阪にいたっては40番目。愛知や神奈川なども下位にランクして、都市部の自殺率はいずれも低い。なぜか。

各県ごとに事情は異なるのだろうが、自殺死亡率が一番低い徳島は、非正規雇用が少なく、人口あたりの医療費が多い県として知られている。すなわち、正規雇用者が多く生活が安定していることや、人口あたりの医者が多いことなどが自殺死亡率に影響している可能性は否めない。

ワースト1の山梨県は、自殺の名所として知られる「青木ヶ原樹海」を抱える

校内いじめ

上位県は、いじめを積極的に認め改善に取り組んでいる!?

文部科学省の「児童生徒の問題行動・不登校等生徒指導上の諸課題に関する調査」によると、２０１８年度に認知された学校内でのいじめは過去最多の54万３千９３３件だったことが判明（２０１７年度は約41万4千件）。さらに、いじめ防止対策推進法で規定する重大事態（いじめによって生命、心身などに重大な被害が生じる疑いがある事案）も６０２件と、前年度より１００件以上増加した。認知件数の内訳は、小学校が約42万6千件（前年度比、約11万件増）、中学校は約10万件（約1万7千件増）、高校は約1万8千件（約3千件増）で、特に小学校の１～４年生で増えていることがわかった。

いじめの内容をみると、「冷やかし、からかい、悪口や脅し文句」が小中高校いずれも6割以上を占め、「パソコンや携帯電話などでの誹謗中傷」は約1万6千件で、約4千件増加。高校では約19％と2番目に多い結果に。また、暴力の発生件数は7万2千９４０件で、不登校の小中学生は約16万5千人（うち58％が90日以上の長期不登校）。さらに小中高校から報告があった自殺者総数３３２人中、いじめが原因の自殺は９人だったという。

都道府県別（２０１７年度）では、１千人あたりのいじめ認知件数が多いワーストは宮崎（１０１件）、2位大分（92件）、3位京都・山形（91・7件）、5位茨城（89件）で、平均の40・9を大きく上回った。ただし、いじめで自殺者が出た場合の報道を見てもわかるとおり、学校側は面子にこだわり、いじめ認定を良しとしない傾向がある。宮崎や大分、京都などは積極的にいじめを認め、改善に取り組もうという姿勢がこの数字に表れたとも言えよう。

いじめ認知件数 ワースト3

1位　宮崎県
2位　大分県
3位　京都府・山形県

貧困
消費者ローン利用1位の沖縄、生活保護受給率ワーストの大阪

世界銀行が発表した直近（2016年度）の世界貧困率比較によると、日本は世界で14番目。経済協力開発機構（OECD）加盟の36ヶ国の中ではメキシコ、トルコ、アメリカに次ぐ4位、先進7ヶ国（G7）では2番目に貧困率が高い国とされている。

ただし一言で貧困といっても、人間としての最低限度の生活・生存を維持するのが困難なほど厳しい状態を表す「絶対的貧困」と、その国の生活水準や文化水準を下回る状態に陥っている「相対的貧困」の2種類があり、日本は「相対的貧困」だ。世界的には開発途上国での絶対的貧困層が大きく減少しているのに対し、先進国では貧富の格差が拡大。相対的貧困層が増加し続けているようだ。

では、日本で貧困に陥っている都道府県はどこか。金融広報中央委員会が18～79歳までの全国2万5千人を対象に行った「金融リテラシー調査」（2016年）では様々な視点から貧困のワーストランキングを発表している。

「消費者ローンを利用している県民」は1位沖縄、2位石川、3位愛媛、4位長崎、5位岩手・鳥取。ワースト1の沖縄は県民の金融知識が低く、「緊急時に備えた資金を確

ワースト3

消費者ローンの利用頻度	金融トラブル発生率	老後の生活設計の欠如	生活保護受給率
1位　沖縄県	1位　山梨県	1位　秋田県	1位　大阪府
2位　石川県	2位　高知県	2位　徳島県	2位　北海道
3位　愛媛県	3位　富山県	3位　島根県	3位　高知県

保している人の割合」が最下位。歴史的に「門中（むんちゅー）」と呼ばれる父系の血縁集団が互助組織としての役割を果たし、困ったら親類縁者に頼ればいいとの認識が強いため金を貯めたり増やしたりすることに極めて興味が薄いという。

「金融トラブルが多い県民」（金融トラブル経験者の割合）は1位山梨、2位高知、3位富山、4位鳥取、5位愛媛の順。1位の山梨は全国で最も「金融知識のない県」らしい。

「老後の計画性がない県民」（老後の生活費について資金計画を立てていない人の割合）では1位秋田、2位徳島、3位島根、4位三重、5位鹿児島となった。享楽的な県民性の秋田がワーストで、県民の72・3％が老後の生活費の計画を立てていないとの発表もある。

また、厚生労働省の調査によると、都道府県別でみた人口に対する生活保護受給率（2016年）は1位大阪3・31％、2位北海道3・08％、3位高知2・73％、4位沖縄2・56％、5位福岡2・53％（全国平均1・69％）。1位の大阪の中でも、労働者の町「あいりん地区」を抱える大阪市西成区は区民の3分の1が生活保護を受けているそうだ。

ちなみに、県民性研究の第一人者、矢野新一氏がお金に関した各種アンケートや所得ランキングなどを基に「金持ち県民、貧乏県民」ランキングを算出、発表。それによると、貧乏県1位は沖縄、2位青森、3位長崎。対し、金持ち県1位は福井、2位静岡、3位愛知だという。

子供の学力
小学6年生は大阪、中学3年生は沖縄がワースト

２０１９年12月、日本人にとって衝撃的なニュースが飛び込んできた。経済協力開発機構（ＯＥＣＤ）が世界79ヶ国・地域の15歳、約60万人の生徒を対象に行った学習到達度調査の結果、日本は「読解力」が前回（２０１５年）の8位から15位に後退したのだという。総合的には世界トップレベルを維持しているものの、「数学的応用力」が5位→6位、「科学的応用力」も2位→5位にランクダウンしたそうだ。

２００３年の調査の際に日本の順位や平均得点が下がったことで文部科学省が「脱ゆとり教育」路線を本格化させたが、結果、順位は下降の一途。文科省は、日本の生徒は書いてある内容を理解する力は安定して高かったが、文章の中から必要な情報を探し出す問題や、情報が正しいかどうかを評価したり根拠を示して自分の考えを説明する問題が苦手だと解説している。

国内でも、文科省が全国の小学6年と中学3年を対象に毎年実施している「全国学力テスト」の順位を47都道府県＆政令指定都市（人口50万人以上の都市で２０１９年現在、全国で20市）別に公表。２０１９年4月の結果は、小学校6年＝ワーストが3年連続で大阪市、同率2位で相模原市と滋賀県が並んだ。また中学3年は、ワーストが沖縄県、次が北九州市、佐賀県の順番だった。

知らなきゃよかった!
全国47都道府県ワーストランキング

「全国学力テスト」(2019年4月実施)の成績　ワースト3

小学6年

1位　大阪市
2位　相模原市
2位　滋賀県

中学3年

1位　沖縄県
2位　北九州市
3位　佐賀県

2019年4月、大阪市内の中学校で行われた全国学力テストの様子

年収　ワースト3

1位　秋田県
2位　島根県
3位　鹿児島県

年収 ワーストは秋田の290万円

国税庁が毎年実施している「民間給与実態統計調査」（1年を通じて勤務した給与所得者が対象）によると、最新2018年度の給与所得者数は5千26万人。平均年収は、前年に比べて2％増えた、441万円（男性545万円、女性293万円）だったという。業種別にみると、ワーストだったのは「宿泊業、飲食サービス業」の251万円、対するベストは「電気・ガス・熱供給・水道業」の759万円となっている。

都道府県別では、年間2千万人が訪れる企業口コミ・給与明細サイトの「キャリコネ」が2019年4月、自社の会員が投稿した給与明細をもとに作成した「年収が高い都道府県ランキング」によると、ワーストは秋田・290万円、2位島根・300万円、3位鹿児島・310万円、4位鳥取・315万円、5位福島・316万円。一方ベストは東京・474万円、2位神奈川・442万円、3位大阪・438万円、4位愛知・428万円、5位静岡・413万円と続く。

理由は単純。東京や神奈川、大阪などの都市圏は人口が多く、物価が高いことに加え、大手企業が多い。対し、年収が低い東北地方や九州地方などは、大手企業が少なく、最低賃金も低めに設定されているからだ。特にワーストの秋田にいたっては、県内に本社を置く一部上場企業が1社しかなかったのがこの結果に繋がっている。

秋田へ
秋田県主催
～秋田の魅力企業が大集結！～
秋田で働きたい方のための【合同面談会】

県をあげて企業や若者を誘致している秋田

交通死亡事故

人口10万人当たりの死亡者数は福井、富山が不名誉なワンツートップ

交通事故の集計・分析を行っている「交通事故総合分析センター」及び警察庁によると、直近2018年の交通事故の発生件数は43万345件で、交通事故での死亡者数は3千532人だったという。毎年、交通事故発生件数が90万件を超え、死亡者数が7千～9千人だった2000年から2005年までと比べると半減しているが、それでも年間3千人以上が交通事故で亡くなっている現実から目を逸らしてはいけない。

交通死亡事故が多い都道府県ランキングをみると、ワーストは3年連続愛知で189人。2位が千葉の186人、3位埼玉の175人、4位神奈川の162人、5位兵庫の152人で、死亡者数が少ないベストは鳥取と島根の20人、3位が石川の28人、4位高知の29人、5位が佐賀の30人という結果だった。

これを人口10万人当たりの死亡者数で算出すると、2018年の全国平均は2・79人。ワーストは福井の5・26人、2位富山の5・11人、3位三重の4・83人、4位岩手の4・70人、5位山形の4・63人と、比較的高齢者が多く、日常生活に車が欠かせない地方の県が並んだ。やはり原因として考えられるのは、高齢者による逆走や、ブレーキ

ワースト3

年間死亡者数		人口10万人当たりの死亡者数	
1位	愛知県	1位	福井県
2位	千葉県	2位	富山県
3位	埼玉県	3位	三重県

とアクセルの踏み違い事故の多発化だろう。

意外なのは事故死亡者数の割合が少ない順位で、ベストは東京の1・04人、2位大阪の1・67人、3位神奈川の1・77人と、大都市を抱える都県が続き、前年から死亡者数が増えた都道府県ランキングでは、ワーストが千葉の32人、2位富山と新潟の17人、4位岐阜の16人、5位神奈川と山形の13人という結果だった。

また、ここ数年、高齢者による事故と並んで問題視されている飲酒運転事故については、件数のワーストは愛知の218件、2位千葉192件、3位大阪181件、4位東京と神奈川の177件。ベストは島根の16件、2位鳥取と山形の17件、4位福井の20件、5位佐賀の24件という結果に。運転免許保有者10万人当たりの飲酒運転事故件数で換算すると、ワーストは沖縄、2位山梨、3位香川、4位徳島、5位宮崎と、酒の産地が並んだ。

沖縄は、飲酒運転の検挙件数も2千222件と全国で最多を記録、県警が2018年に実施した飲酒運転検挙者約2千人を対象にした調査では、飲酒運転の理由として11％が「仕事に車が必要」と答えたそうだ。

死亡者数は年々減少しているが…

うつ病患者

平均気温が低く、降雪量の多い北海道がワースト

世界保健機関（ＷＨＯ）の報告書によると、世界のうつ病患者は２０１５年時点で推計３億２千２００万人に達し、10年間で18％以上も増加。中でもアジア・太平洋地域が全体の約48％を占め、その中で日本は、中国の約５千５００万人に次ぐ第２位の約５０６万人を数えるという（人口比は両国とも４％）。

近年、自分の感情によって症状が変動する〝新型うつ病〟が20～30代のサラリーマンを中心に頻出。精神疾患は現代日本の社会問題のひとつとして対策が急がれている。厚生労働省の「患者調査」（２０１６年）で詳しくみていくと、疾病別には気分（感情）障害が約１１２万人で、15年間で約70万人増加。続いて神経症性障害・ストレス関連障害などが30万人、さらにその他の精神及び行動障害も25万人増えるなど、いずれも精神疾患は大幅な増加傾向にあるようだ。

都道府県別には、人口１万人当たりの患者数が多いのは１位北海道（１３８・20人）、２位鳥取（１３２・80人）、３位島根（１２２・76人）、４位京都、５位群馬の順で、最も少ないのは岡山（41・06人）である。平均気温が低く、雪が多いことがうつ病の原因になっているようだ。

知らなきゃよかった！

全国47都道府県ワーストランキング

うつ病患者数（人口1万人当たりの割合）　**ワースト3**

1位　北海道
2位　鳥取県
3位　島根県

不法投棄 最も多いのは千葉で累計約1万7千トン

現在、ゴミの不法投棄が社会的な大問題となっている。捨てられているのは処分にお金がかかる家電製品・粗大ゴミや、産業廃棄物などが多く、こうしたゴミは土壌や水質などの環境汚染を引き起こす恐れがあるばかりか、投棄された場所の原状回復に膨大な費用がかかる。周辺住民にとっては、まさに捨て置けない問題なのだ。

環境省は、全国の都道府県の協力を得て、毎年度、産業廃棄物の不法投棄及び不適正処理（以下「不法投棄等」という）事案の調査を行っている。２０１９年に発表になったのは２０１６年度の結果で、報告された全国の新たな不法投棄等の年間件数は１３１件、約２・７万トンだったという。一番多いのは汚泥約６千５７０トン、がれき類約５千９００トンと、ここ数年、相次ぐ自然災害に関連した不法投棄物が占めている。意外なのは不法投棄の実行者で、多いのは無許可業者ではなく許可を得た業者が圧倒的らしい。

処理し切れていない物を含めた累計の不法投棄等の量を都道府県別にみると、ワーストは千葉、２位愛媛、３位鹿児島、４位青森、５位大阪で、不法投棄も不適正処理も報告のなかった県が13あった。

不法投棄物の累計量　ワースト3

1位	千葉県	17,292トン
2位	愛媛県	14,122トン
3位	鹿児島県	11,927トン

不法投棄の当事者は大半が許可業者

知らなきゃよかった！
全国47都道府県ワーストランキング

ガン罹患率
塩分の高い食事を摂り、運動不足な県が上位に!?

1981年以来、日本人の死因トップはガンである。厚生労働省発表の人口動態統計（2018年）によると、136万2千470人の死亡者のうち、約28％にあたる38万7千人がガンで死亡。2位心疾患（15％）、3位老衰、4位脳卒中、5位肺炎と続く。

厚生労働省管轄の国立がん研究センターが2019年にまとめた最新（2015年）の部位別罹患率（人口10万人当たり）をみると、男性は胃が約70％、大腸が約69％、前立腺と肺が約62％で突出しており、死亡率は肺（約40％）が圧倒的に多い。対し女性の罹患率は圧倒的1位が乳房（91％）で、大腸（42％）、子宮（31％）と続き、死亡率は大腸・乳房（12％）、肺（11％）の順番となる。

都道府県別の累計罹患率（人口10万人当たり）ランキングは、ワースト長崎（454・9人）、2位秋田（446・3人）、3位香川（436・7人）、4位北海道、5位宮崎で、ベストは沖縄（356・3人）、2位愛知（367・5人）、3位長野（367・6人）、4位群馬、5位静岡と続く。

地域ごとに事情は異なるが、塩分の高い食事や、交通の便が悪く運動不足が重なってガンのリスクを高めていると推察できる。

罹患率 ワースト3

1位　長崎県
2位　秋田県
3位　香川県

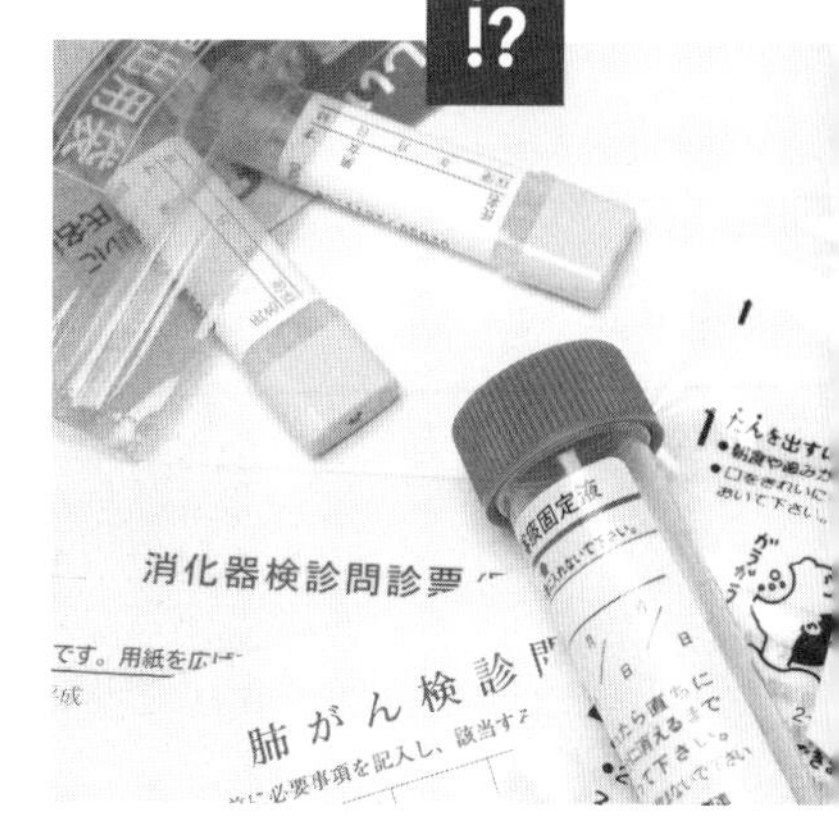

検診による早期発見、早期治療が重要

離婚率
我慢が苦手で楽天的な県民性の沖縄がワースト

日本の婚姻件数は、第1次ベビーブーム世代が25歳前後の適齢期を迎えた1970年〜1974年にかけて年間100万組を超え、婚姻率（人口1千人当たりの婚姻件数）は10以上だった。その後は多少の増減はあるものの出生率の低下に比例して減少の一途をたどっている。

対し、戦後から増加していた離婚率は、2002年（約29万件）をピークに減少傾向に転じ、2018年の離婚総数は前年より約4千件減少して20万8千件に。人口1千人当たりの離婚率は1・68（1千人のうち約1・7人が離婚）となった。

2017年に総務省統計局が発表した都道府県別の最新離婚率（2015年）によると、ワーストは沖縄（2・51）、2位宮崎（2・09）、3位北海道（2・08）、4位大阪、5位福岡の順で、ベストは山形（1・34）、富山と新潟が1・39で同率2位、4位島根、5位石川という結果に。

離婚率は5年ごとに発表されており、ワーストの沖縄は2005年、2010年の統計でも1位。一度、仲間になると強い絆で結ばれる一方で、辛抱や我慢が苦手な楽天的な県民性が影響しているものと推察される。逆に離婚率が低いのは日本海側の豪雪地帯と呼ばれる県で、厳しい冬に耐え抜く辛抱強さが、夫婦関係にも影響しているようだ。

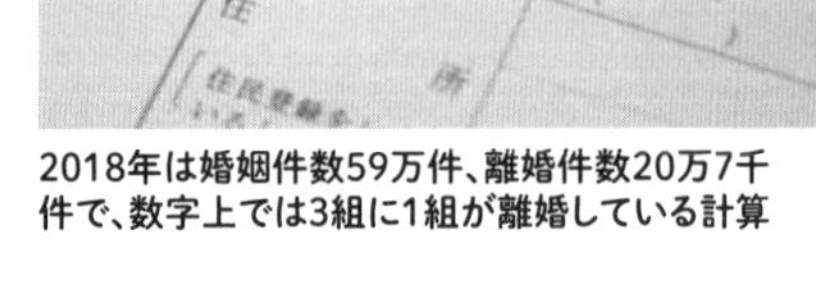

2018年は婚姻件数59万件、離婚件数20万7千件で、数字上では3組に1組が離婚している計算

離婚率　ワースト3

1位　沖縄県
2位　宮崎県
3位　北海道

出生率
東京の女性が産む子供の平均数は1・2人

合計特殊出生率 ワースト3

1位 東京都 1.20人
2位 北海道 1.27人
3位 京都府 1.29人

日本は、まさに少子高齢化社会の真っ只中にある。2019年6月、厚生労働省が発表した2018年の人口動態統計月報年計（概数）によると、出生数は前年比2万7千668人減の91万8千397人、合計特殊出生率（1人の女性が出産可能とされる15歳から49歳までに産む子供の数の平均）も1・42人で1899年の調査開始以来過去最少となった。一方、死亡者数は前年比2万2千85人増の136万2千482人で、戦後最多。出生数と死亡数の差である自然増減数はマイナス44万4千85人。前年のマイナス39万4千332人からさらに4万9千753人減少し、こちらも調査開始以来、過去最大の減少幅を記録した。

都道府県別では、出生数が多いのは東京（約10万7千人）、大阪、愛知の順。少ないワースト3は鳥取（約4千200人）、高知、島根。これを合計特殊出生率に直すと、ベストは沖縄（1・89人）で、2位島根（1・74人）、3位鹿児島（1・70人）。ワーストは東京（1・20人）、2位北海道（1・27人）、3位京都（1・29人）という結果となった。

出生率低下の背景には未婚率の高さがある。男性はデフレが慢性化する中で、収入が低く、雇用が不安定。一方、女性は非正規雇用や育児休業が利用できない職場で働く環境などが影響し、結婚・出産にメリットを見いだせないと考える人が多いようだ。

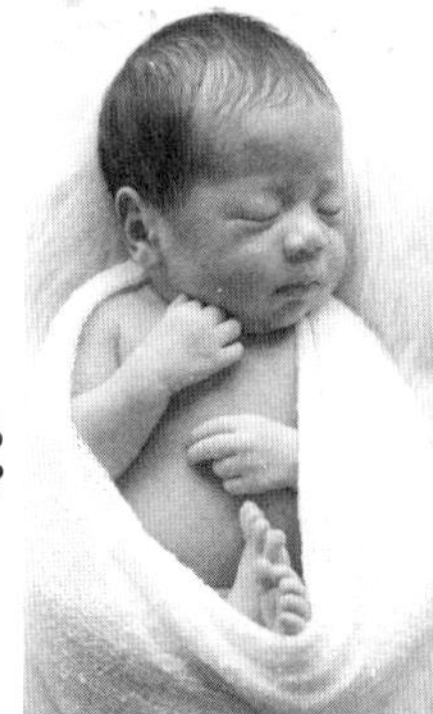

現在の日本で子供を産み育てることはリスクの方が高い!?

平均寿命
男女ともに青森がワースト

厚生労働省が公表した2018年の「簡易生命表」のデータによると、日本人の平均寿命は男性が81・25歳、女性も87・32歳といずれも前年の過去最高記録を更新した。

国ごとの算出方法が異なるため、厳密に国際的な比較はできないが、厚労省によれば、2018年時点で、男性の1位は香港（82・17歳）、2位スイス（81・4歳）、3位日本で、女性は1位香港（87・56歳）、2位日本、3位スペイン（85・73歳）。日本は世界でも有数の長寿国と言えるだろう。

国内に目を向け都道府県別の平均寿命（2015年度）を見ると、男性のベストは滋賀、2位長野、3位京都、4位奈良、5位神奈川で、女性は1位長野、2位岡山、3位島根、4位滋賀、5位福井の順だ。対し、ワーストは男性が青森、2位秋田、3位岩手、4位和歌山、5位鹿児島、女性はワーストが青森、2位栃木、3位茨城、4位秋田、5位福島と続く。

寿命が短い原因ははっきりしないが、滋賀の男性が長寿の理由には、失業率の低さ、労働時間の短さ、県民所得の高さなどの生活環境と、喫煙者率の低さ、スポーツやボランティア活動が活発などの点があげられている。

平均寿命　ワースト3

男性

順位	県	平均寿命
1位	青森県	78.67歳
2位	秋田県	79.51歳
3位	岩手県	79.86歳

女性

順位	県	平均寿命
1位	青森県	85.93歳
2位	栃木県	86.24歳
3位	茨城県	86.33歳

日本は香港に次ぐ世界第2位の長寿国。
写真はイメージ

行ったことがない都道府県

行ったことがない都道府県 ワースト3

1位 佐賀県 80.4%
2位 高知県 79.4%
3位 徳島県 78.8%

２０１９年10月、大和ネクスト銀行が、20～69歳の男女１千人を対象に、「旅行したことがある都道府県」と「旅行したことがない都道府県」を調査した結果を発表した。行ったことがある１位は世界に誇る観光地・京都、２位東京、３位大阪、４位北海道、そして５位は東京ディズニーランドを擁する千葉の順に。対するワーストトップは佐賀、２位高知、３位徳島、４位秋田、５位宮崎と、主要都市から離れていて行きづらかったり、ＬＣＣ（格安航空会社）の本数が少なくて旅費が高くついてしまうなど、アクセス面で二の足を踏みがちな県が並んだ。

児童虐待相談

相談受付件数（15歳未満人口割合） ワースト3

1位 宮城県 5.3%
2位 京都府 4.9%
3位 大阪府 4.7%

昨今、深刻な社会問題になっている児童虐待。厚生労働省の最新版「福祉行政報告例」（２０１７年度）によると、虐待に関する児童相談所の応対数は２０１２年の約６万７千件から約13万４千件に倍増。内容（２０１６年度データ）は、心理的虐待が約51％、身体的虐待約26％、ネグレクト約21％、性的虐待１・３％。主な虐待者は実母が約49％、実父が約39％、実母以外の母親が約６％と発表された。

児童相談所の相談受付数の多い都道府県ランキングは、１位大阪、２位神奈川、３位東京、４位埼玉、５位千葉だが、15歳未満の人口割合に直すと、１位宮城、２位京都、３位大阪、４位香川、５位群馬となり、大都市でも首都圏エリアがランクダウンし、関西圏エリアが上位に来る傾向がみられる。

第4章

知らなきゃよかった！・本当は怖い未来予想

大正時代が終わる頃と同程度までに減少

21世紀末、日本の人口は現在の半分の約6千万人に

現在、日本は世界でも例のないほどのスピードで少子高齢化が進んでおり、人口は減少の一途を辿っている。

総務省統計局の発表によれば、2019年3月1日時点の総人口は前年同月より23万人減（0・18％）の1億2千622万人で9年連続の減少。65歳以上の割合は28・1％と過去最高で、15歳未満は12・2％と過去最低だった。

日本の人口は2007年から2010年まではほぼ横ばいで推移していたが、2011年に大正9年（1920年）の調査開始以来、初めて減少に転じる。その大きな原因は深刻な少子化である。少子化が進行した理由として晩婚化・晩産化の他、最も注目されているのが結婚しない男女の増加である。

このまま少子高齢化が進むと、日本の人口はどこまで減少するのか。内閣

2040年～2050年に人口は1億を割り、そのうちの3割以上を高齢者（65歳以上）が占めると予測されている

府は毎年「高齢社会白書」を発表。この白書は、日本の高齢化の現状、さらには将来予想をまとめたもので、国立社会保障・人口問題研究所の推計を基に2060年までの人口・世代別構成推移を算出している。それによると、日本の総人口は2050年には1億人を割り込み9千708万人、その後もさらに減少を続け2060年には9千万人を切り、そのうちの3千500万人近くが65歳以上の高齢者になると予測されている。

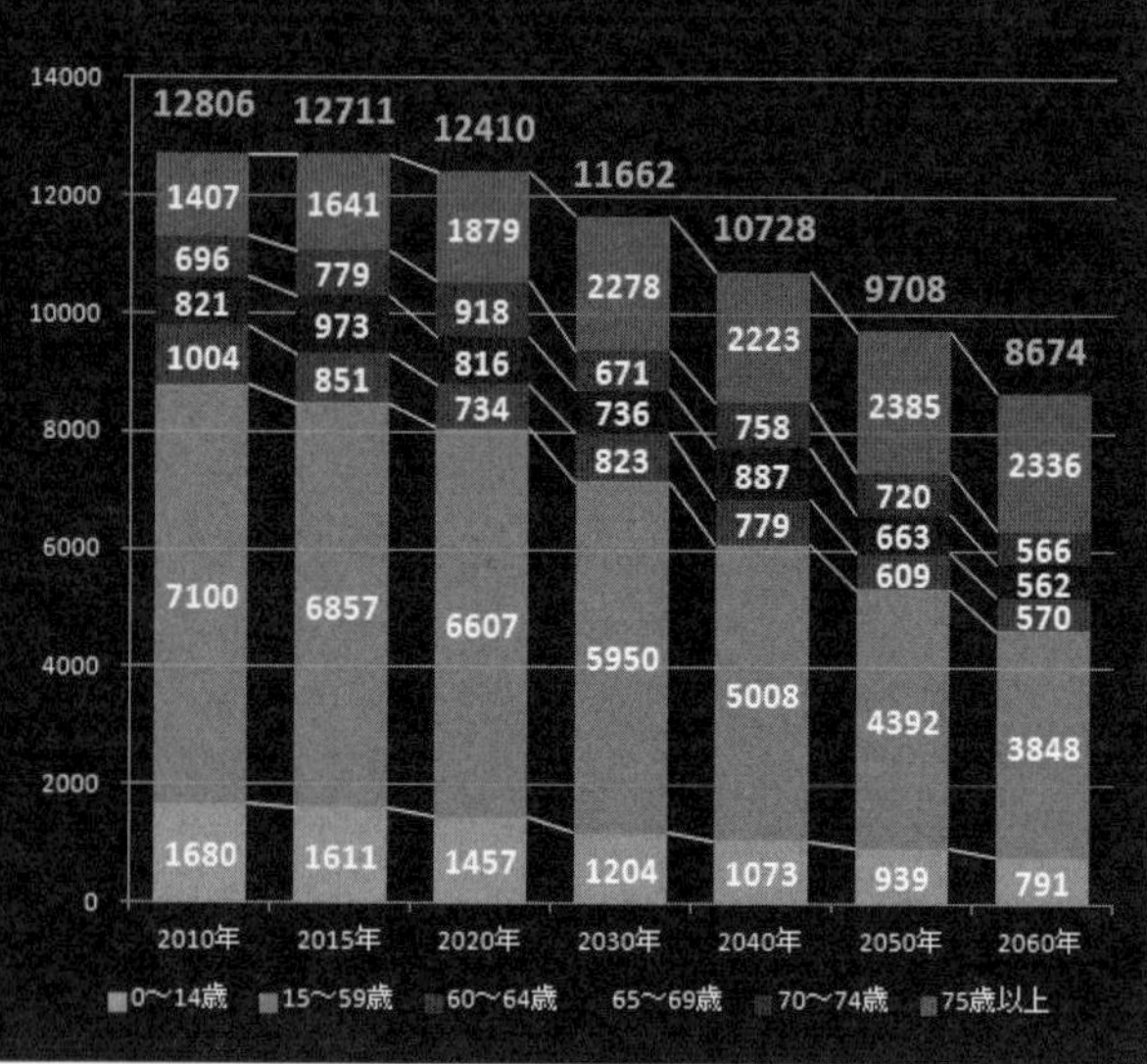

また、人口動態に詳しい国際医療福祉大学の高橋泰教授の見解では、今後日本ではベビーブーマー（第二次世界大戦の終結直後に、復員兵の帰還に伴って出生率が上昇した時期に生まれた世代）が多く亡くなっていくため、2030年までは毎年50万人が減少。2030年以降は、毎年100万人減り、1億人以下になるのは2040年ぐらいだろうと予測。2050年になると、後期高齢者（75歳以上）が2千500万人減り、21世紀末には、日本の人口は現在の半分の約6千万人と推察されるそうだ。ちなみに、この数値は大正時代が終わる1925年頃とほぼ同程度の人口である。

国民年金を4万円、厚生年金を14万円カットする案も浮上

2050年、年金支給開始は78歳から

前項で取り上げたように、日本の人口が今後減少の一途を辿ることは確実視され、2050年には現在より25％少ない1億人弱と予測されている。この急速な人口減少により、日本が直面する問題の一つに労働力の不足がある。総務省統計局によれば、2019年10月時点で日本の労働人口（就業者数）は6千787万人。これが2050年には5千万人前後まで減るものと予測されている。

資産コンサルタントで、株式会社グランディル代表の竹田真基氏は2019年8月3日配信の「幻冬舎ゴールドオンライン」に寄稿した記事で、人口減少、高齢化、労働力不足という事実から、未来の日本が抱えるであろう以下8つの問題を指摘している。

①企業収益の悪化による国の税収大幅減少　②人口・労働力の減少による国の税収大幅減少　③財政健全化のための大増税　④継続的な円安トレンド、物価のさらなる上昇　⑤介護費、社会保障費、医療費の負担増加　⑥年金支給が78歳から。そして支給額は現在の半分へ　⑦自治体の半分が消滅へ　⑧出生

率が今の半分以下へ

いずれも深刻な内容だが、老後の生活を考えたとき特に注目すべきは⑥の年金に関する問題だろう。

年金支給が78歳から開始となれば、1円も貰わず人生を終える人も出てくるだろう

現在、公的年金の受給開始年齢は原則65歳からだが、すでに年金の積立額は足りておらず、毎年約5兆円が不足しているのが実状。そのために、政府内では2030年をめどに「厚生年金の支給開始年齢を68～70歳に引き上げる」ことが検討され始めている。また一部では、国民年金を4万円、厚生年金を14万円カットする「年金カット法案」も提唱されているという。

内閣府が算出した「最悪のシナリオ」では、日本の全人口は2050年には8千万人台に突入。しかも、そのうちの4割の3千万人以上が65歳以上の高齢者で、逆に現役世代は4千万人あまりしかいない。単純計算、老人1人を1・3人で支えなければならず、年金以外にも現在のような医療保険、介護保険などの社会保障制度を維持するためには、現役世代は収入の9割を税金として納めなければならないという到底不可能な事態となる。現実に照らし合わせれば、2050年、年金受給年齢が78歳に引き上がり、支給額も現在の半分という予測も決して大げさではない。

目的は社会保障の充実ではなく財政赤字の補填

2030年代半ばの消費税は25%

高齢化社会への不安から、幅広い年代より出来るだけ負担を少なく徴収し、年金や生活保護などの社会保障費確保のため、1989年4月に導入された日本の消費税。当初3%だった税率は97年4月に5%、2014年4月に8%に上がり、2019年10月には10%に引き上げられた。

なぜ、増税が必要なのか。導入時の名目どおり社会保障のためなら問題はないが、実際には国の財政赤字（国債の発行など）補填のためとするのが識者の一致した見解である。なにせ日本が抱える財政赤字は2018年度末で約1千35兆円強にも達しているのだ。

では今後、消費税はどこまで引き上げられるのか。参考までに、2019年3月時点での世界151ヶ国・地域の消費税を見てみると、39ヶ国が20%以上（このうち35ヶ国がヨーロッパ。トップがハンガリーの27%、続いてクロアチア、スウェーデン、デンマーク、ノルウェーの25%）、15%以上20%未満が69ヶ国、10%以上15%未満が32ヶ国、10%未満が11ヶ国。データ上では、日本はまだまだ低いと言え

そうだが、今後、我が国もヨーロッパ並みの税率になるのだろうか。

金融系大手シンクタンクの大和総研では、2013年5月に発表した「超高齢日本の30年展望」において、2030年代半ば以降の消費税率は25%程度必要であると予想。これには社会保障給付を現在より15%抑制することが条件だが、それでも政府の基礎的財政収支は黒字化しないと推測している。また、法政大学経済学部教授の小黒一正氏は2014年11月、ビジネス系サイト「ビジネスジャーナル」で、財政危機を回避するためには、今後5年おきに段階的に消費税率を5%ずつ引き上げていき、ピーク時の税率を32%にしなければならないと指摘する。

いずれにしろ、消費税の引き上げは必至で、20%を超えるのも遠い将来の話ではないだろう。が、たとえ税率がアップしても、社会保障が充実するとは言えないのが日本の現状のようだ。

政府公報オンラインの文言がウソであることは明白

消費税率の引上げ分は、
全額、社会保障の充実と
安定化に使われます。

75歳で預貯金が底をつく恐怖のシナリオ

平均的サラリーマンの7割が「老後破産」の危機

現在、金融資産をほとんど持たない「下流老人」が急増している。これを自分の問題と捉えている人は少ないが、現実は想定よりもはるかに厳しく、一般サラリーマンの7割が「老後破産」の危機に晒されるという予測もある。裏を返せば、預貯金が底をつくことなく生涯を終えられるのは、残りの3割にすぎないのだ。

2016年6月、経済や暮らしの情報を提供するサイト「マネーポストWEB」で、ファイナンシャルプランナーの藤川太氏が老後破産に関する恐怖のシミュレーションを展開した。

金融広報中央委員会の「家計の金融行動に関する世論調査［二人以上世帯調査］」（2015年）によると、60代以上で金融資産500万円未満の世帯は4割を超え、半数近くが下流老人とみなされているそうだ。こうしたなか、藤川氏は『金融資産がなくても年金でなんとか暮らしていける』などと思うのは早計」とし、家計の将来をシミュレーションしたグラフ（キャッシュフロー表）を提示している。

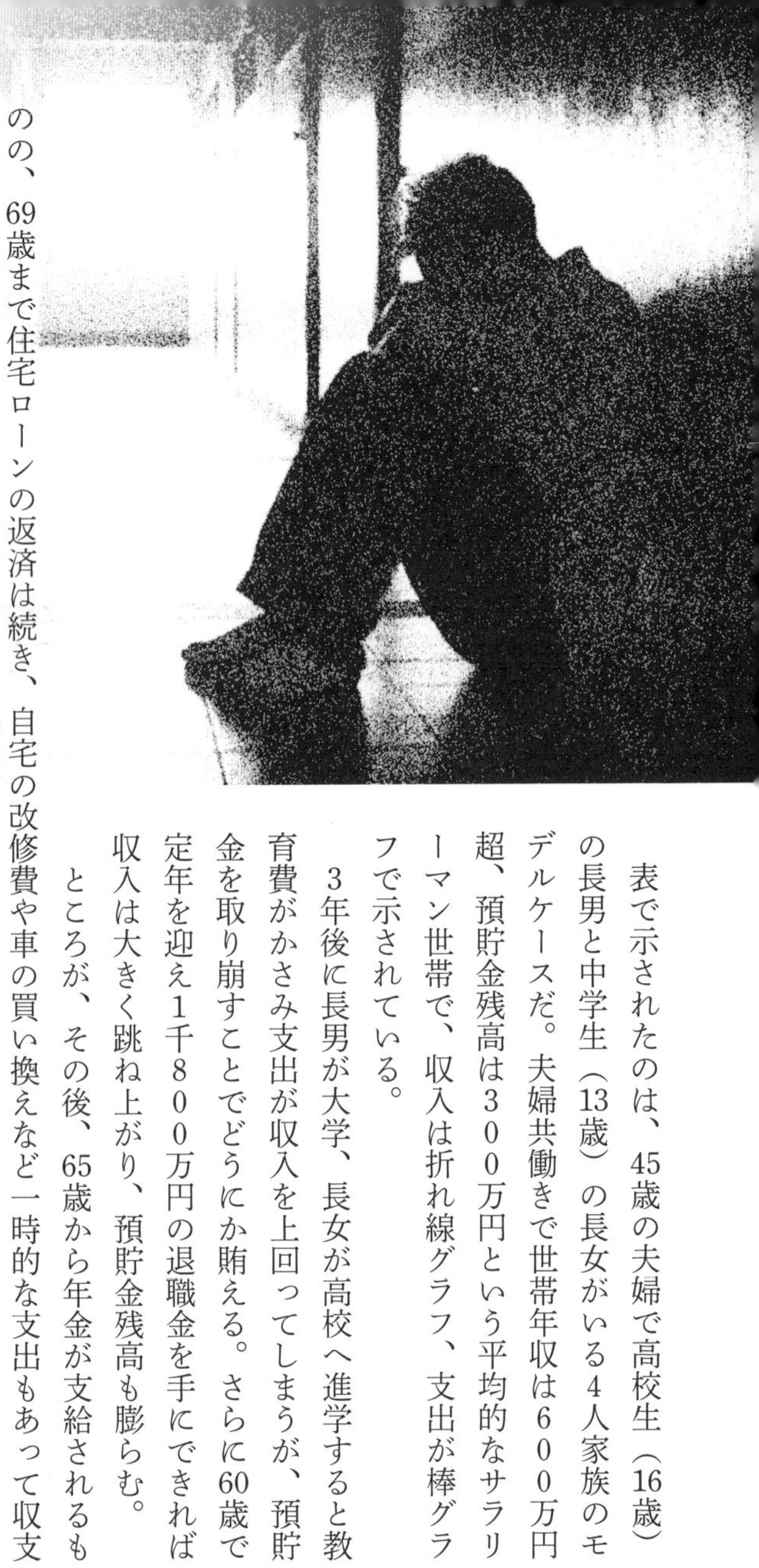

表で示されたのは、45歳の夫婦で高校生（16歳）の長男と中学生（13歳）の長女がいる4人家族のモデルケースだ。夫婦共働きで世帯年収は600万円超、預貯金残高は300万円という平均的なサラリーマン世帯で、収入は折れ線グラフ、支出が棒グラフで示されている。

3年後に長男が大学、長女が高校へ進学すると教育費がかさみ支出が収入を上回ってしまうが、預貯金を取り崩すことでどうにか賄える。さらに60歳で定年を迎え1千800万円の退職金を手にできれば収入は大きく跳ね上がり、預貯金残高も膨らむ。

ところが、その後、65歳から年金が支給されるものの、69歳まで住宅ローンの返済は続き、自宅の改修費や車の買い換えなど一時的な支出もあって収支は常に赤字。年金収入だけでは賄えず、預貯金を取り崩す生活を続けているうちに75歳で預貯金は底をつき、「老後破産」へと陥ってしまう。

藤川氏は、これが決して極端な例ではなく、ごく普通に思えるような家庭でも、十分に起こり得るケースとして、現在の家計の見直しを強く提案している。

極東の一小国に逆戻り

2050年、日本のGDPはメキシコ以下

国の経済力を表すGDP（国内総生産）。日本は長らくアメリカに次ぐ世界2位を保持してきたが、2010年以降、中国に抜かれて第3位（2018年現在）。それでも今のところ、世界有数の経済大国といえるだろう。

しかし、2017年、PwC（プライスウォーターハウスクーパース。ロンドンを本拠地とし、世界159ヶ国に18万人のスタッフを擁する世界最大級のプロフェッショナルサービスファーム）が発表した最新リポートによれば、日本は人口減少の進行で2030年以降マイナス成長を続け、貯蓄や投資も鈍化、2050年にはメキシコより下の8位で、9位のナイジェリアと同程度のGDPになるだろうと予測されている。

このリポートはPwCが2006年以降、定期的に更新しているもので、作成時期から2050年にかけての主要32ヶ国のGDPを測定・予測。人口動態・資本投資・教育水準・技術進歩がもたらす傾向を

考慮に入れている。同リポートは初版から一貫して、インドが日本から「世界３大経済大国」の座を略奪すると予想し、２０１３年版でもかろうじて5位にランクを付けていた。が、インドの経済成長に拍車がかかった近年、２０３０年を境に日本の経済成長を急速に追い越すものと分析、この結果となったようだ。

国のＧＤＰとは別に、１人当たりＧＤＰという指標もある。これは、ＧＤＰの総額をその国の人口で割った数で、一般にその値が大きいほど経済的に豊かであるとされる。最新ランキング（２０１８年）では、日本は世界で26位（１位ルクセンブルク、２位スイス、３位マカオ）。ＰｗＣが予測したところによれば、２０５０年には、韓国（２０１８年現在28位）を下回るものとみられている。

　２０５０年の日本は「極東の一小国」に逆戻りし、国民の暮らしも決して豊かとは言えなそうだ。

2050年のGDPランキング上位20ヶ国予測

PwCの最新予測。数値は2016年基準10億米ドル

Rank	Country	GDP 2015年GDP	2050年GDP
1	中国	10,983	52,095
2	米国	17,947	34,634
3	インド	2,091	31,426
4	ブラジル	1,773	8,124
5	インドネシア	859	7,302
6	メキシコ	1,144	6,678
7	ロシア	1,325	6,540
8	日本	4,123	6,216
9	ナイジェリア	490	5,993
10	サウジアラビア	653	5,488
11	ドイツ	3,358	4,814
12	イギリス	2,849	4,702
13	フランス	2,422	4,274
14	トルコ	734	3,802
15	韓国	1,377	3,446
16	南アフリカ共和国	313	3,026
17	カナダ	1,552	2,994
18	イタリア	1,816	2,818
19	エジプト	331	2,785
20	フィリピン	292	2,611

交換機の寿命が限界に
現在の固定電話は2025年までに使えなくなる

電話機は一家に一台。それが日本の常識だった。が、近年の携帯電話、スマートフォンの普及により個人が端末を持つのが当たり前となり、単身世帯などでは今や固定電話を所有する人の方が少数派となっている。総務省が２０１８年5月に発表した「通信利用動向調査」によると、20代では固定電話の導入は5・2％、30代で29・3％程度。一方で、60歳以上の約90％が固定電話を所有しているものの、実際に利用している人のうちの半数が携帯やスマホをより多く使っているという。

存在意義が薄くなりつつある固定電話が現在、利用減どころか絶滅の危機に瀕している。電話網の要となる交換機はすでに製造が終了しており、現存機器の寿命はどんなに頑張っても２０２５年が限界らしいのだ。

こうした事態に日本の通信事業最大手であるＮＴＴも頭を悩ませており、これまでの固定電話の機能をインターネット回線を利用するＩＰ電話に移行する計画を立てているものの、その実現に向けては課

題も多くあるらしい。多額の費用はもちろん、緊急通報や公衆電話には単純に引き継げない機能があること、そしてＮＴＴと国との間で決められている「ユニバーサルサービス制度」の問題も大きいという。ユニバーサルサービスとは、日本全国で提供されている加入電話、公衆電話、緊急通報（１１０番・１１８番・１１９番）の電話サービスで、ＮＴＴがこれを独断で中止することは許されない。言い換えれば、どんなに赤字が出ても、国の許可が出ない限り、ＮＴＴは固定電話サービスを続けなければならないのだ。

固定電話サービスは毎年１千億円以上の赤字を出す厄介者。ＮＴＴは今すぐにでも中止したいのが本音である。ＩＰ電話への完全移行の難しさ、国との取り決めなど問題は多いが、近い将来、現在利用中の固定電話が使えなくなることは間違いないようだ。

オフィスには欠かせない固定電話だが…現在、各地で使われている電話交換機の寿命は長くてもあと5年。製造はすでに終了している

部数減少が止まらず「絶滅危惧種」に
紙の新聞は2040年までに全世界から消滅

日本の新聞の廃刊ラッシュが止まらない。2016年に『京都丹波新聞』など4紙、2017年に『常陽新聞』『久留米日日新聞』など4紙、2018年に『家庭新聞』『日刊大牟田』『福島中央新報』など10紙、2019年には120年以上の歴史を誇った『奈良日日新聞』が『奈良新聞』に吸収・統合された。廃刊の要因はライバル紙との販売競争、広告収入減など様々あるが、一番はインターネットの普及、特にスマートフォンの存在である。ニュースサイトを開けば誰でも無料に情報が得られるようになり、紙の新聞の存在意義がなくなったのだ。

日本新聞協会が集計した2018年10月時点での新聞の総発行部数（一般紙とスポーツ紙の合計）は約3千990万部と、10年前に比べ約1005万部減少。ピーク時1997年の約5千376万部と比較すると、この21年間で約1千386万部減ったことになる。これは、日本最多の発行部数を誇る読売新聞（2019年上期で約809万部）と第2位の朝日新聞（同約558万部）が丸ごと消えたのと同じ

減少程度である。

米グーグル社が設立されたのが１９９８年。２００２年にはブログが急拡大、２００６年頃からツイッターやフェイスブックといったＳＮＳが急速に普及し、時を同じくして新聞の発行部数の急落が始まる。情報の速さ、利便性において、新聞は大きな後れをとったのである。

こうした傾向はもちろん日本だけではない。アメリカでは過去15年間に約１千８００紙（日刊約60紙、週刊約１千７００紙）が廃刊に追いこまれ、２０１９年５月現在残っている７千１１２紙（日刊１千２８３紙、週刊５千８２９紙）も、その半分は２０２２年までになくなるという予測（ニコ・メイリー、ハーバード大学メディア政治公共政策研究所所長）が出ている。

少々古い分析だが、２０１１年２月、有名企業の依頼を受け、全世界の様々なデータを分析している「フューチャー・エクスプロレーション・ネットワーク」社が公開した「国別新聞絶滅年度」によれば、日本の紙の新聞は２０３１年に消滅、全世界から新聞が消えてなくなるのは２０４０年頃とされている。現代のネット社会において、紙の新聞は絶滅危惧種と言わざるをえないようだ。

こんな光景がなくなるかもしれない

チェルノブイリの被曝者から推定

10年後、20年後、極めて深刻になる福島原発事故の健康被害

２０１１年３月11日に起きた福島第一原発事故。２０１９年３月現在も５万人以上が避難生活を余儀なくされているが、最も懸念されるのは漏れた放射能が及ぼす健康被害の拡大である。２０１８年３月に公表された最新の福島県民健康調査報告書によると、福島県の小児甲状腺ガン及び疑いのある子供（18歳以下）は、３年前の１３７人から倍以上増え計２７８人に。このうち82人が手術を受け、良性だったのはたった１人だけだという。放射能汚染による健康被害は、今後どこまで進むのか。その目安となるのが、少なくとも福島原発事故と同レベル（もしくはそれ以下）とみられるチェルノブイリ原発事故（１９８６年発生）の被害状況だ。国際連合人道問題調整事務所（ＯＣＨＡ）の調査報告によれば、ウクライナでは３５０万人以上が事故の影響を受けており、そのうちの１５０万人が子供。事故から20年の２００６年の時点で、ガンの症例数は19・５倍に増加し、甲状腺ガンで54倍、甲状腺腫は44倍、甲状腺機能低下症は５・７倍、結節は55倍になったという。こうした状況からＯＣＨＡは、被曝による人

体への具体的な影響を以下のように示している。

■10年後……▼小児甲状腺ガンの急増（4年後から顕著な増大、のど切開手術）**▼死産増加**（10代で被曝した母、通常2センチの胎盤が5センチに）**▼染色体変異**（被曝量に比例して染色体《生殖器なら遺伝情報》が破損する割合が増加）**▼原発作業員の平均寿命44歳**（ガン・心臓病・白血病・記憶障害・神経細胞破壊・自殺等）**▼「安全」とされていた低濃度汚染地域《原発から400キロ以内》で大量の体内被曝が進行**（生体濃縮で高濃度となった放射能が、自給自足型の農村の住民の体内に蓄積）

■20年後……▼成人甲状腺ガンの急増（小児甲状腺ガンは事故10年後が頂点だったが成人はその後急増）**▼先天性障害児（奇形児）の増加**（放射性降下物の70％が国土の4分の1に降りたベラルーシでは、事故前は1万人中50人だったが、2000年に110人と2倍以上に）**▼引き続き原発作業員の死亡相次ぐ　▼「安全」とされていた低濃度汚染地域《原発から400キロ以内》でガンや白血病増加**

将来、福島原発事故による健康被害が、我々の想像をはるかに超えた深刻なものになることは間違いないだろう。

**チェルノブイリ原発事故前と後では
奇形児の誕生率が2倍になったとの報告もある**

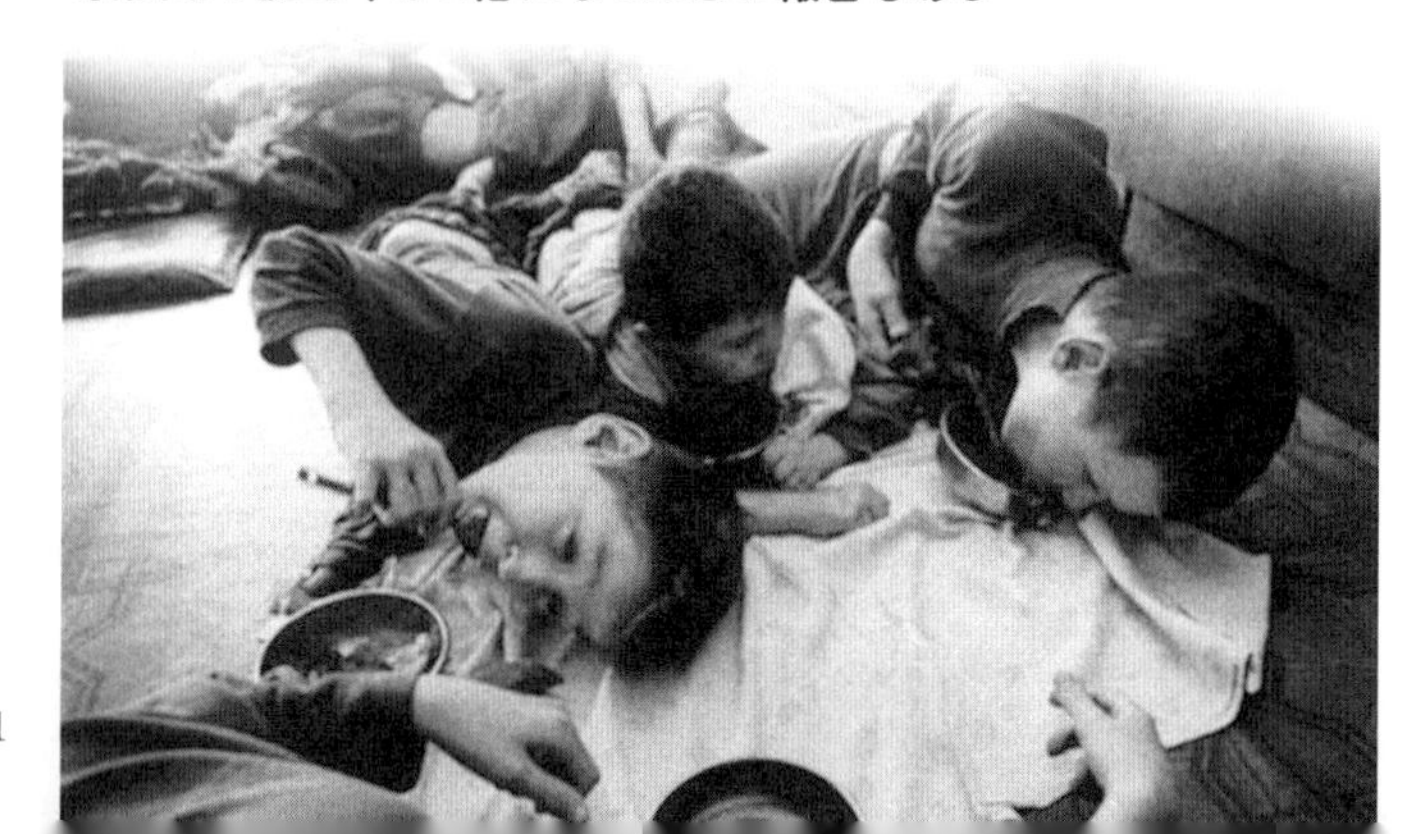

アメリカと中国による世界の覇権争い

第三次世界大戦の勃発は2034年

第二次世界大戦終了から70数年。次に世界を巻き込む戦争はいつ起きるのか。将来予想を論じるうえで欠かせないテーマで、これまでにも様々な推測がなされているが、2014年8月、世界情勢に詳しいロシア極東連邦大学のアルチョム・ルーキン教授の予測によれば、その時期は2034年で、現在の覇権国家・アメリカと、最大の挑戦者・中国の衝突になるだろうという。

教授によれば、今後15年から20年間、中国が戦争を起こす可能性は低いそうだ。なぜなら、現状で中国はアメリカに軍事力で圧倒的に劣り、経済面・技術面で西欧諸国に依存し、独自の同盟を構築することも難しいからだという。しかし、これらの課題を今後中国がクリアすることは十分考えられ、そのとき事態が動くだろうと予測する。

ルーキン教授による2034年のシナリオは以下のとおりだ。4年前の2030年、台湾との再統一を成し遂げた中国は、インドが国力を増強させるのに懸念を強めている。この年、インドが中国を抜い

第三次世界大戦は、アメリカ率いるインド太平洋連合と、中国をリーダーとするユーラシア同盟の戦いになると予測されている

て世界で最も人口の多い国になるからだ。

その頃アメリカは、日本が核保有国になり、インドとの相互防衛条約を結んだことで安保条約を解除、新たな孤立主義に入っている。

そこで、中国は2034年、アメリカが日本を支援しないとみて、インドが追いついてくる前に先手を打とうと国境地帯へ侵攻する。それにアメリカは反応。同盟を組むオーストラリアやフィリピン、NATOのカナダやイギリスなどとともに中国に宣戦布告し、中国側につくロシアやベラルーシ、カザフスタンらと相対することに——。

しかし、第三次世界大戦は20世紀の武力衝突とは大きく異なるというのが教授の見解だ。主戦場は宇宙空間とサイバースペースに移行。核兵器の存在によって互いに自制し、国際機関が間に入ることで敵国との交渉が続くという。つまり、核で世界を終わらせない一方、戦争が無限に続くかもしれないというのだ。

果たして、第三次世界大戦は本当に起こりうるのだろうか。

マリリン・モンロー主演の新作映画が公開!?

2027年、ハリウッド映画は「バーチャル俳優」だらけに

2017年に公開、俳優・ビートたけしが出演して話題となったSF映画「ゴースト・イン・ザ・シェル」。主役のスカーレット・ヨハンソンが脳とわずかな記憶を残して全身が機械化された捜査官に扮し、実写とCGでハイレベルなサスペンスを作り上げた。ハリウッドでは、こうしたコンピュータで生成された「バーチャル俳優」の起用が年を追うごとに増加。近い将来、マリリン・モンロー主演の新作映画が公開されるのではないかと噂され、2027年にはバーチャル俳優だらけになるとの見方が強い。

バーチャル俳優が初めて採用されたのは1981年の映画「ルッカー」(日本未公開)で、人間をデジタルスキャンした3Dコンピュータによるモデルが登場。初めて実在する俳優がデジタル複製されたのは、1987年にエンジニアリング・ソサエティ・オブ・カナダなる団体の百周年を記念して制作された映画(日本未公開)のマリリン・モンローとハンフリー・ボガートだ。モンローとボガートがモントリオールにあるカフェで会話をする様子が3次元で描写されていたが、実写とはほど遠かった。

が、技術の発達にともないバーチャル俳優は実写に接近。1994年の映画「クロウ/飛翔伝説」では主演のブランドン・リーが撮影中に起きた発砲事故で死亡したため、彼の顔をデジタルで再現して代役に被せて残りのシーンが撮影されたという。また、2001年の「ファイナルファンタジー」では3次元コンピュータグラフィックで生成されたリアルな人間のモデルが使われるなど、実写とバーチャルの区別はもはやないに等しい。

ただ、法的な問題も残されている。例えば1991年の「ターミネーター2」では俳優ロバート・パトリックのバーチャルが液状化ロボットとして出演しているが、この著作権は俳優自身ではなく制作者に帰属するという。さらには故人の肖像権など、バーチャル俳優にともなう法的問題は山積みだ。

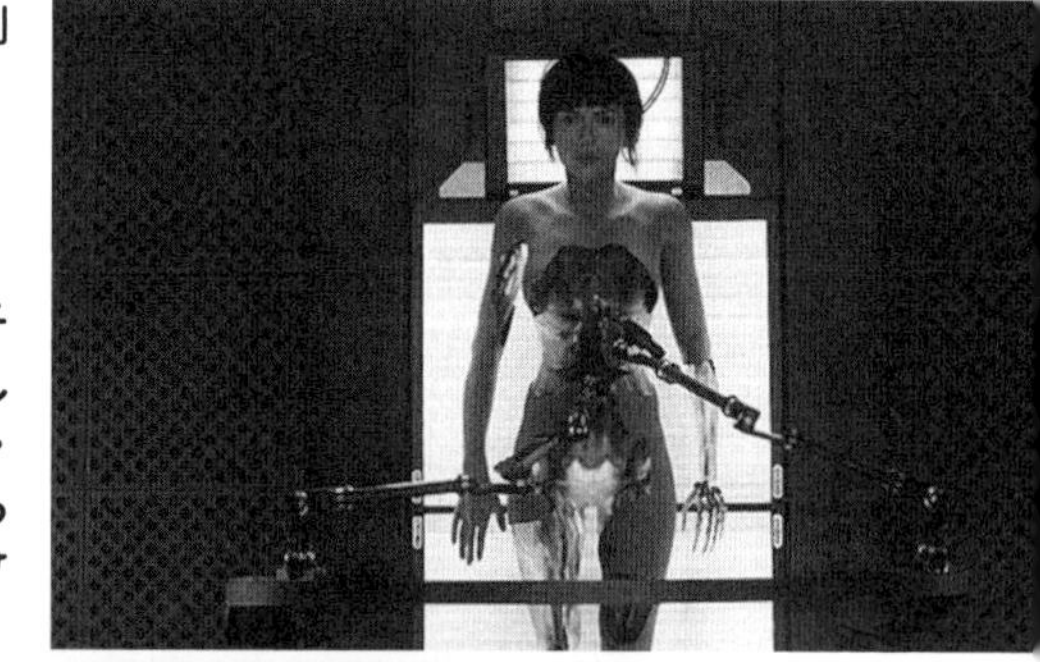
「ゴースト・イン・ザ・シェル」のスカーレット・ヨハンソン

2013年、「Galaxy」というチョコメーカーのCMに登場した往年の名女優オードリー・ヘプバーン。全てCGで作られているが、本物と見分けがつかない完成度

人間同士の性交渉は原始的、野蛮とみなされる⁉

50年後、ロボットとのセックスが当たり前の世の中に

２０１３年、「ｈｅｒ／世界でひとつの彼女」という映画が公開された。妻と別れて悲嘆にくれる主人公の男性が、女性の人格を持ったロボット（ＯＳ）と恋に落ちるＳＦ恋愛映画である。本作の舞台は近未来のロサンゼルスだが、２０１２年制作のスウェーデンのドラマ「リアル・ヒューマンズ」は、現代のロボットを人間に匹敵しうる存在として描き、大きな話題を呼んだ。劇中で〝ヒューボット〟なる人型ロボットが登場、その所有者たちは彼らを従順なハイテク商品とみなし、使用人として、労働者として、セックスの相手として、また亡くなった家族の身代わりとして活用するという衝撃的な内容だ。

あくまでフィクション、あり得ない世界と片付けるのは早計である。英サンダーランド大学の心理学者、ヘレン・ドリスコル博士が２０１５年８月４日付『デイリー・ミラー』電子版に寄せたコラムによれば、「50年後にはロボットとの会話はもちろん、性行為も普通になり、生身の男女の肉体関係は〝原始的〟〝野蛮〟と呼ばれるようになるかもしれない」というのだ。博士は、次の３つのポイントを挙げ

米国のベンチャー企業トゥルー・コンパニオン社が開発した世界初のAI搭載リアルドール「ロキシー」。人工合成皮膚の肌を持ち、対話も可能。「大胆で社交的」「恥ずかしがり屋」といった性格も、自在に選ぶことができるそうだ。値段は約103万円

て、持論を具体的に解説する。

●この100年間のセックス事情の劇的な変化からして、今後も急激な変化が予想され、ロボットとのセックスが普及しても不思議ではない。

●現代の世の中で、小説やマンガ、アニメなどのキャラクターに惑溺する人は多く、精巧に作られたロボットに好意を持つようになる素地は、現在の我々には十分にある。

●オンラインで過ごす時間がどんどん長くなっている現代、そのうちオンラインの方が〝現実〟になるという逆転現象が起こる。そのため、オンライン上の人工知能やロボットとの関係にも現実味が増してくる。

人間同士のセックスより、ロボットとの性交渉の方がメジャー。そんなことが現実になる日が本当にやってくるのだろうか？

北アメリカとヨーロッパで信徒急増中

2100年、イスラム教が世界最大の宗教になる

2019年4月、東京基督教大学の「日本宣教リサーチ」が公開した報告書によれば、2017年現在、世界で最も信者数の多い宗教は約25億人の信者を抱えるキリスト教だ。カトリックやプロテスタントなどに分かれながらも信者は全世界に広がり、世界人口（2017年末時点で約76億人）の32・9％を占めている。しかし、ワシントンD.C.を拠点として世界の人たちの問題意識や傾向に関する情報を調査するシンクタンク「ピュー・リサーチ・センター」によれば、2017年現在、世界人口の23・6％、約18億人の信者を持つイスラム教が2070年にキリスト教と肩を並べ、2100年頃には世界人口に占める割合がキリスト教を1％上回るという。

分析から明らかになった要因は2つ。1つ目は、イスラム教徒の出生率の高さである。2017年時点でイスラム教徒の女性1人の平均出産数が3・1人であるのに対し、他の宗教を合わせた平均は2・3人。また、イスラム教徒の年齢の中央値は23歳と、他宗教に比べて7歳も若い。

2つ目が、移民の問題だ。現在、イスラム教徒のおよそ62%がインドネシア、インド、パキスタンなどを中心としたアジア太平洋地域で暮らしているが、ヨーロッパや北アメリカへの移住者が急激に増えている。2016年には、アメリカにおけるイスラム教徒数は330万人、全人口の1%にすぎなかったが、2050年までには2・1%に上昇するという。

ちなみに、2017年現在、世界最大のイスラム教徒国はインドネシアだが、2050年には経済力を身に付けたインドが世界最大となるそうだ。

イスラム女性の出生率は3.1人

世界の宗教人口の割合
（2017年現在）

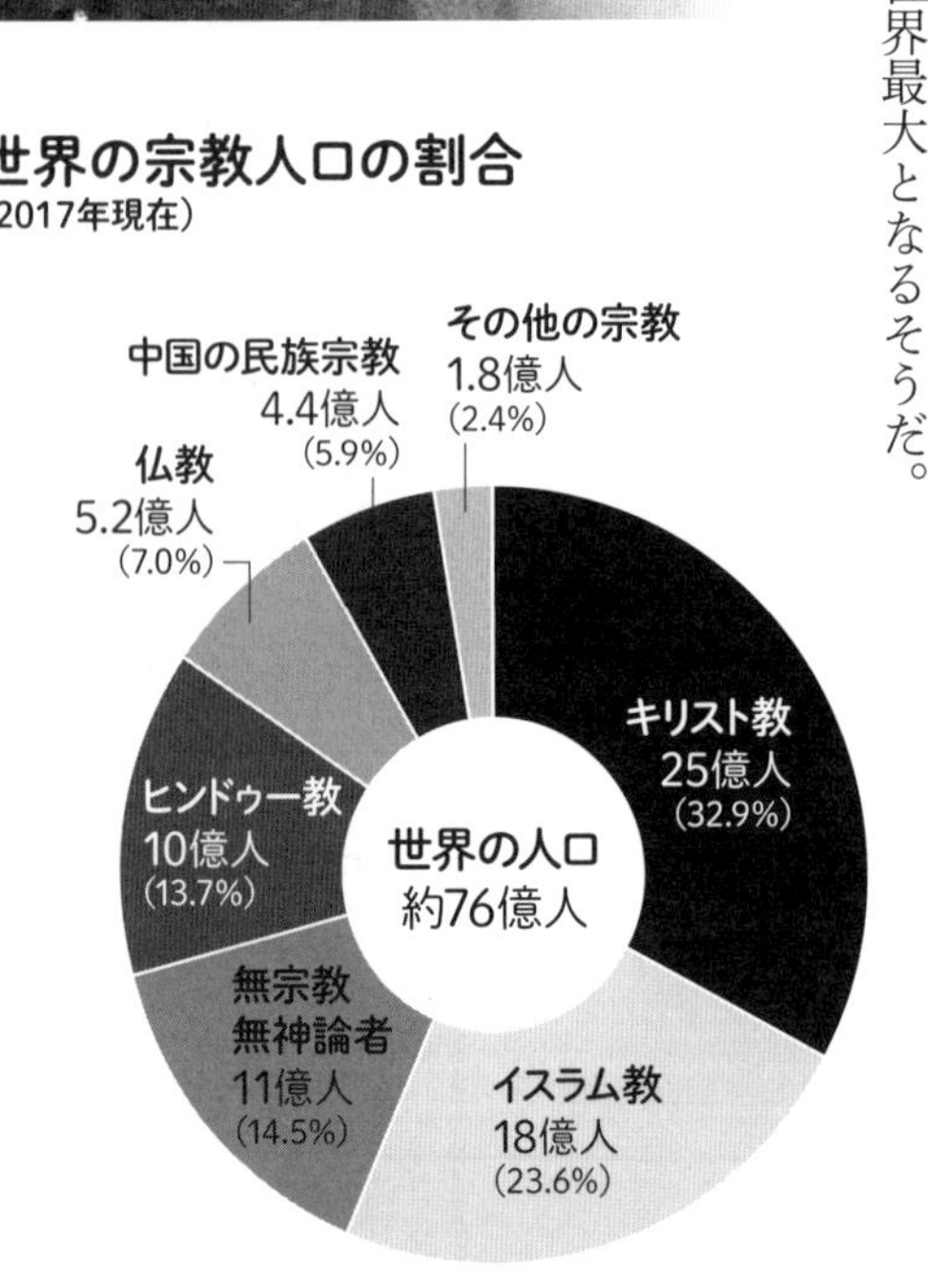

オックスフォード大学が発表した近い将来、なくなる職業と仕事

ロボットが作業を代行

2013年、英オックスフォード大学で人工知能などの研究を行うマイケル・A・オズボーン准教授が、702の職業別に、将来機械化される確率を示した論文を発表、大きな話題を呼んだ。左ページの表はロボット（AI）に奪われる可能性が90％を上回ると判断された職業の一覧だが、この他にも今後なくなると推測される仕事・職業は数多い。具体的に、その理由を見ていこう。

■銀行の融資担当者

2005年から2008年にかけて、会社の決算書のデータを入力するだけで、融資する金額・期間・金利が即座に出る「スコアリングシステム」が活用されていた。が、このシステムには大きな欠陥があり、リーマン・ショック以降使われなくなった。この弊害として、金融機関の融資担当者・渉外担当者の、企業に対する「目利き力」が大幅に低下。「スコアリングシステム」に代わる、コンピュータによる正確な融資判断が急務となっている。

■スポーツの審判

人間の目には誤りがある。特にスポーツにおける誤審は、時に勝敗を左右するため、古くから大きな問題となってきた。そこで現在、各種スポーツではコンピュータを用いた正確な

判定システムが次々と導入されている。テニスにおける「チャレンジシステム」は「ホークアイ」というコンピューターグラフィックスを用いた自動ライン判定システムで、イン・アウトが一目瞭然になるというもの。野球は複数のカメラでホームランやクロスプレイの判定、ビデオ検証を行う「リクエスト制度」、ボールがゴールラインを通過した正確な位置を三次元で割り出すサッカーの「ホークアイシステム」等々。試合が中断することへの議論はあるが、今後あらゆるスポーツで、審判は人間ではなくコンピュータに委ねられることになるだろう。

■**小売店販売員**　現在でさえ、すでにインターネットでの販売需要は増加する一方。10年、20年先ともなれば、さらにその需要は増える。もしバーチャルでサイズや色、質感まで確認できるようになれば、小売店は減少、必然的に販売員も不要となる。

2013年、オックスフォード大学が発表した、将来機械に取って代わる確率が90%以上の主な職業

銀行の融資担当者
スポーツの審判
不動産ブローカー
レストランの案内係
保険の審査担当者
動物のブリーダー
電話オペレーター
給与・福利厚生担当者
レジ係
娯楽施設の案内係、チケットもぎり係
カジノのディーラー
ネイリスト
クレジットカード申込者の承認・調査を行う作業員
集金人
パラリーガル、弁護士助手
ホテルの受付係
電話販売員
仕立屋（手縫い）
時計修理工
税務申告書代行者
図書館員の補助員
データ入力作業員
彫刻師
苦情の処理・調査担当者
簿記、会計、監査の事務員
検査、分類、見本採取、測定を行う作業員
映写技師
カメラ、撮影機器の修理工
金融機関のクレジットアナリスト
メガネ、コンタクトレンズの技術者
殺虫剤の混合、散布の技術者
義歯製作技術者
測量技術者、地図作成技術者
造園・用地管理の作業員
建設機器のオペレーター
訪問販売員、路上新聞売り、露天商人
塗装工、壁紙張り職人

■一般事務　会社の事務的な作業は、コンピュータの方がミスもなく、休むこともなく、低コストで完璧に行うことが可能。データ入力や資料作成なども、速さ、正確さを備えたコンピュータが担うことになる。

■受付係、秘書、コールセンター　秘書やホテルの受付は、データや情報の正確で素早い処理が必須。人間がコンピュータに敵うはずはなく、膨大なデータを瞬時に判断して、音声案内をする人工知能が取って代わる職業といえる。同じく、コールセンターの案内係なども、消えゆく職業である可能性が高い。

■通訳、翻訳　スカイプなどには、すでに同時通訳機能が搭載されており、将来は人工知能が日常会話のほとんどを通訳可能とする。ただ、翻訳に関しては、高い語学能力や表現力を必要とするため、人の手はある程度必要。

■医療スタッフ　米国のニューヨークメモリアルスローンケタリングがんセンターでは、クイズ番組で人間相手に勝利を挙げたワトソンというＩＢＭの人工知能型コンピュータを活用して、60万件の医療報告書、１５０万件の患者記録や臨床試験、２００万ページ分の医学雑誌などを分析。コンピュータが患者個々人の症状や遺伝子、薬歴などを他の患者と比較することで、それぞれに合った最良の治療計画を作ることに成功している。診断ばかりではなく、手術を行うロボットもすでに開発されている。

■弁護士　裁判前のリサーチのために数千件の弁論趣意書や判例を精査するコンピュータがすでに活用されており、米ソフトウェア大手・シマンテックのサービスを利用すると、2日間で57万件以上の文書を分析して分類することができる。その結果、弁護士アシスタントであるパラリーガルや、契約書専門、特許専門の弁護士の仕事は、すでに高度なコンピュータによって行われるようになっているという。

■**ネイリスト**　すでに、自動でネイルデザインする機械を設置した店舗があり、今後普及するものと思われる。個々人の爪の形状を理解し、人間には不可能な細かいアートを短時間でできればネイリストは不要。

■**運転手**　今まさに進化中の「自動運転」は、10～20年先には常識となっている可能性が高い。これによって、バス、トラック、タクシーなどは自動運転機能が付くものと予想される。運転手の過労による事故も目立つ昨今、確実で安全に目的地へと運ぶ自動運転は、ドライバーという仕事をなくさせる。

■**不動産仲介業**　２０１５年11月から、ヤフーとソニーが組んで「おうちダイレクト」という不動産個人間ポータルサイトを作成。個人が、ネット上に物件を載せて売買できるシステムを構築した。売主が不動産屋に物件を預けるより、ネット上で個人売買する方にメリットがあれば、間違いなく不動産屋はなくなってしまう。

■**学校講師**　現在、教育の現場では、無料でオンライン講義を受けられる英国発の「ＭＯＯＣｓ」が急成長。また、学生がディスカッションでどんなやり取りをするか、課題を勤勉にこなしているか、講義をきちんと視聴しているか、そして最終的にどれくらいの成績をおさめているかなどについての莫大なデータが集まり始めている。こうした情報を利用すれば、人間に代わってコンピュータの講師が、個々の学生に応じた講習や評価ができるようになり、卒業後の就職適性も導き出すことが可能となる。その技術を人材採用に適用すれば、各企業の人事部の作業は今よりずっと効率化が図れる。

以上、あくまで予測の範疇ではあるが、人工ロボットやコンピュータが人間に取って代わり作業をこなすようになるのは明らか。自ずと、仕事や職業の選択も変わってくるだろう。

頭と目が巨大化

10万年後の人類はこんな顔

ここで紹介するのは、２０１３年６月、米ワシントン大学のゲノム研究（遺伝子情報から、生命現象の統合的理解を試みる科学）の第一人者であるアラン・クワン博士が、接合子ゲノム工学技術で割り出した人類の顔の変化を、アーティストのニコライ・ラム氏がＣＧを使って描き出した２万年、６万年、10万年後の外見だ。かねてから、未来人は、脳が高度に発達するため頭が大きくなり、手足が極端に退化すると言われている。公開されたものはゲノム研究の観点から割り出された未来人予想図ゆえ、もしかしたら本当に人類はエイリアン顔になってしまうのかもしれないし、全くの別物である可能性も高い。いずれにしろ、21世紀を生きる我々にこれを確認する術はない。

2013年時点の欧米人男女平均的ルックス

2万年後

脳が大きくなるため頭が大きくなる。額も広くなるが、現代人とさほど外見は変わらない

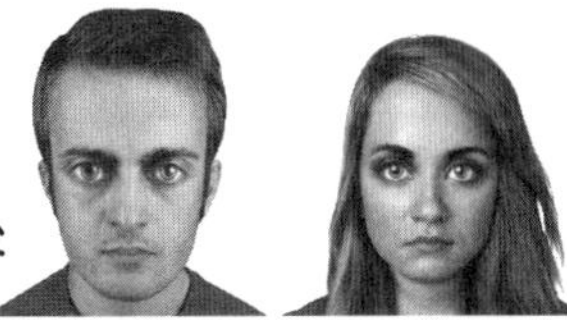

6万年後

地球より太陽から遠いコロニーの調光環境に応じ、より大きな目に。オゾン層の破壊による有害な紫外線の影響を緩和するため、肌の色は色素沈着によりくすんでくる。重力の低下によりまぶたが重くなる

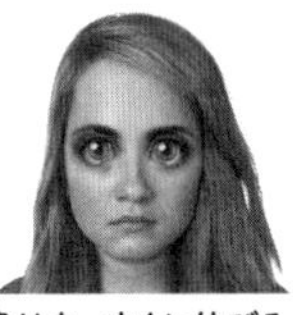

10万年後

さらに目が巨大化し、鼻はまっすぐに伸びる。左右対称の顔となる。宇宙線の影響から目を保護するため瞬きの回数が増える

第5章

知らなきゃよかった！本当は怖い

心理実験でわかった人間の本性

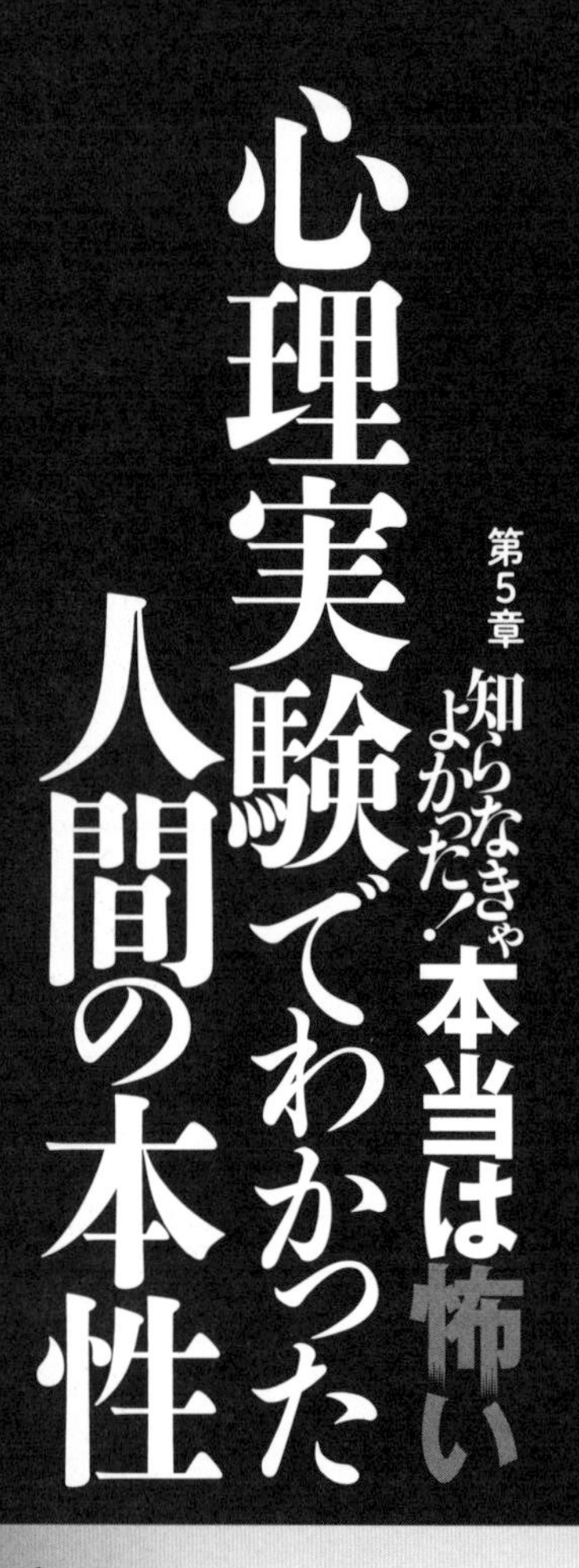

アルバート坊やの「恐怖条件付け実験」

「恐怖心」は幼少期の刷り込みで作られる

1919年、アメリカで行動主義心理学を創始した心理学者ジョン・ブローダス・ワトソンが、人間の恐怖に関する実験を行った。被験者は当時、小児病棟で授乳していた女性の生後11ヶ月になる男児で、名をアルバートと言う。予備検査によって、アルバートは大きな金属音を聞くと怯えて泣き出す一方、ネズミやウサギ、犬などの小動物は怖がらないことがわかっていた。

実験はまず、アルバートの前にシロネズミを置き、彼が触ろうとした瞬間、背後で鋼鉄の棒をハンマーで叩く試みから始まった。結果、アルバートは大きな音に驚いたものの再びネズミに触ろうとし、そこでもう一度大きな金属音を鳴らすと今度は大声で泣き出した。

1週間後、再び同じ実験を5回繰り返し、さらに5日後にも実験を行おうとしたところ、アルバートはシロネズミを見ただけで逃げ出すようになる。もともとネズミには抵抗がなかったのに、大きな金属音とともにネズミを認識することで、恐怖を感じるようになったのだ。さらに、アルバートは実験後、

毛皮のコートなど、ネズミに似た特徴を持つものまで怖がるようになったという。

ワトソンはこの結果を受け、「人間が抱く不安や恐怖の多くは、この実験のように幼少期の経験に由来している」と結論づける。つまり、恐怖や嫌悪などの感情は、生まれついての本能に組み込まれているわけではなく、後の刺激によって情緒的反応が生まれ、繰り返し刷り込まれることで体系づけられるのだ。

被験者のアルバート。実験から3年後の1922年に祖母から感染した髄膜炎が原因で水頭症となり、1925年に死亡した

アルバートは、最初は怖がらなかったウサギにも、金属音を加えることにより、見ただけで泣き出すようになった。左が実験を計画・指導した心理学者のワトソン

ドナルド・ヘッブの「感覚遮断実験」

五感を奪われると人間は3日で気が触れる

1951年、カナダの心理学者ドナルド・ヘッブが「感覚遮断」なる実験を試みた。完全に感覚のインプットを遮断されると脳が効率的に機能しなくなるという、かねてから温めていた持論を実証しようとしたのだ。

ヘッブは日給20ドルの報酬で被験者の学生を集め、彼らに半透明のゴーグルを着け、手に厚手のグローブ、さらに耳栓をするなどして何もない部屋に放置、観察データを取った。

反応はすぐに現れる。まず最初に注意力が散漫になり、思考能力が低下。さらには70％の被験者が幻聴や幻覚を訴え、誰一人として3日もこの生活を続けることができなかった。すなわち、人間は刺激（ストレス）なしには生きられないのである。

感覚遮断実験はこの後も様々なバリエーションで行われている。1954年、アメリカの脳科学者ジョン・C・リリーは温覚や上下感覚をも奪える「アイソレーション・タンク」なる装置を用いて実験を

試みた。暗幕マスクをかぶり、どっぷりと水に浸けられた被験者は、実験開始からほどなく、独り言を言う、口笛を吹く、歌を歌い出すなどの奇異な行動をとった後、幻覚を見て精神に異常をきたすようになった。そして、感覚遮断から解放した後に計算や方向感覚などのテストを行うと、著しく能力を低下させていた。

ちなみに、このアイソレーション・タンクは、南極基地や宇宙船など情報が限られた環境での探査の準備用に作られたものだが、装置の開発者であるリリーをモデルにした1979年のアメリカ映画「アルタード・ステーツ／未知への挑戦」が公開されると一般にも流行。近年はこの感覚遮断状態が1時間程度ならストレスや不安を軽減することが認められ、心理療法や代替医療、アスリートのイメージトレーニングなどにも用いられている。

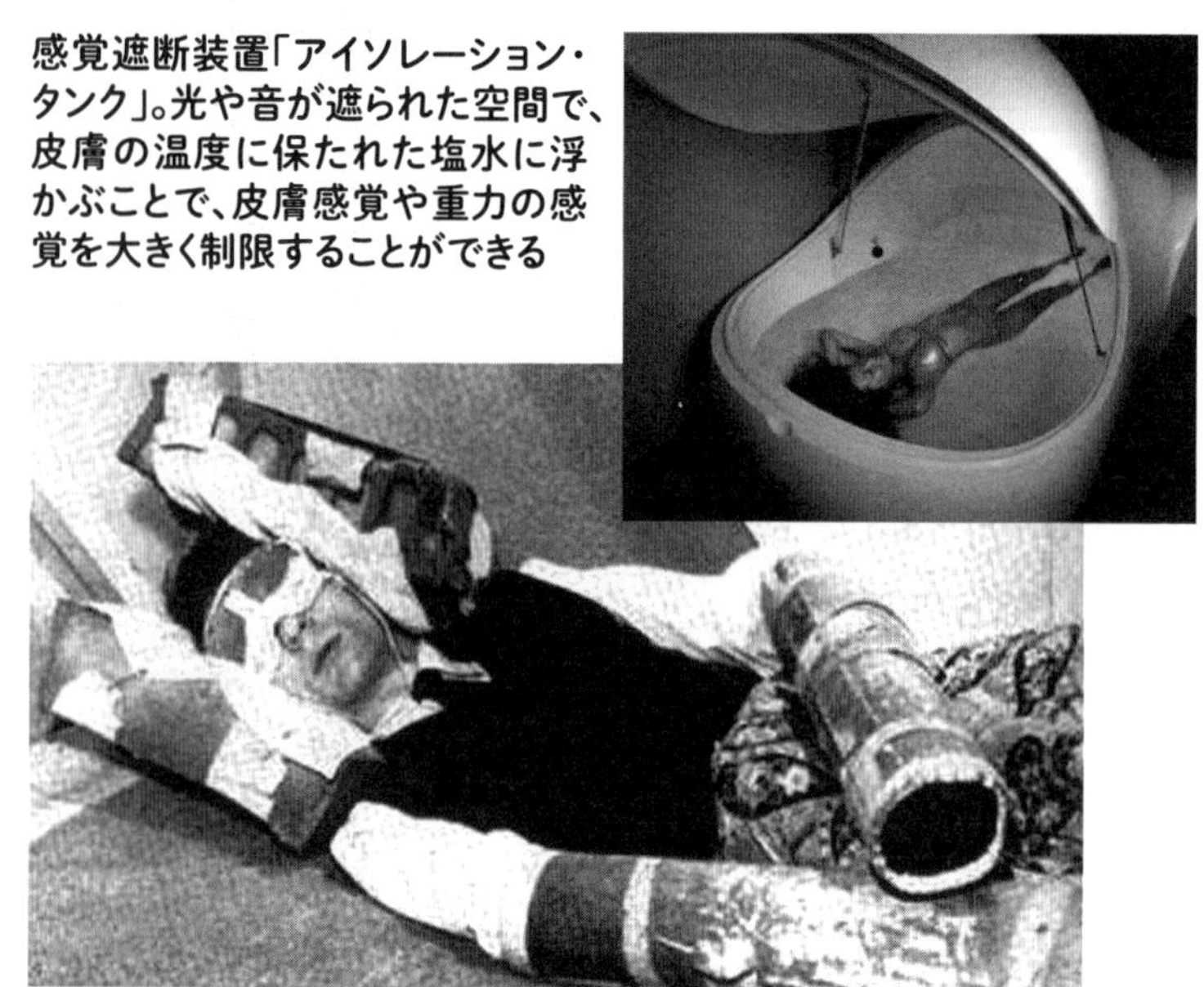

感覚遮断装置「アイソレーション・タンク」。光や音が遮られた空間で、皮膚の温度に保たれた塩水に浮かぶことで、皮膚感覚や重力の感覚を大きく制限することができる

1951年、心理学者ヘッブが行った実験の様子

愛情なしに育てられた子供は大人になっても我が子を愛せない

ハリー・ハーロウの「愛情行動実験」

１９５０年代後半、米ウィスコンシン大学で霊長類の研究を行っていたハリー・ハーロウは、ある日、母ザルから引き離された子ザルが、哺乳瓶よりタオルを取り上げたとき猛烈に鳴き叫ぶことに疑問を感じる。それまで子ザルが母親へ示す愛情は、栄養を与えてもらうことへの代償行為と考えられていたからだ。

そこで、ハーロウは独自の実験を試みる。産まれたてのアカゲザルを母親から隔離し、代理母となる人形を二つ与える。一つは授乳はできるが針金でできたもの、もう一つは授乳できないが円筒形のダンボールに柔らかなタオルを巻いたものだ。果たして、子ザルがすがりついたのはタオル人形の方で、針金人形には空腹のときしか近づかなかった。

ハーロウはこの結果を踏まえ、愛情育成に母性は必要なく、柔らかい布地さえあればいいという結論を打ち出すが、それは大きな誤りだった。実験開始から１、２年後、代理母によって育てられた子ザル

が、異常なまでに恐怖心を抱いたり、暴力的になるという現象が発生したのだ。中には自分の腕や指を噛みちぎる子ザルまでいたという。

これは母親人形の体を揺らせるよう改良したり、1日に30分、他の正常なサルと遊ばせることで少しは発達改善がみられたが、ハーロウはここでも疑問を持つ。異常な環境で育った子ザルが母親になったらどうなるか？ そこで、代理母で育てられた処女のメスザル20頭を集め、むりやり交尾、妊娠・出産させたところ、多くの母ザルが我が子に無関心だったり殺したりで、適切に子育てできたのは数頭しかいなかった。

ハーロウの実験は動物愛護の観点からは大きな問題を抱えているが、彼の研究が重要なのは、その結果が人間にも当てはまる点だ。後の研究で、子供の頃に十分な愛情を受けずに育つと、親になった際、育児放棄や虐待を犯しがちになることが明らかになったのだ。

ハーロウ（右の写真の人物）と、実験に使われたアカゲザルの子供。子ザルは針金で作られた代理母（右）よりタオル地の代理母に執着した

ローゼンハンの「精神医学診断実験」

精神病院の医者は偽の患者を見抜けない

1975年に公開されたアメリカ映画「カッコーの巣の上で」は、刑務所から逃れるため精神異常を装い病院へ入院した男が、患者の人間性までを統制しようとする医者たちから自由を勝ちとろうと試みる物語だ。劇中でジャック・ニコルソン演じる主人公は、向精神薬を飲んだふりをするなどして精神病患者を演じるが、看護師らは彼の詐病に一向に気づかない。実際、現実の精神病院でもこのような行為が可能なのだろうか。それを証明するかのような実験が映画公開の2年前の1973年、アメリカで行われた。

スタンフォード大学の心理学者デヴィッド・ローゼンハンは8人の友人に幻聴が聞こえるふりをさせ、病院へ送り込んだ。医者がウソを見抜けるかの検証である。果たして、5つの州の別々の病院で受診した彼らに下された診断は、全員が躁うつ病、もしくは統合失調症だった。そしてこれまた例外なく、最短で7日、最長で52日間も入院させられることになる。ちなみに、退院の際も一様に「回復」で

上／実際に、精神病を装い病院へ送り込まれた被験者たち
下／映画「カッコーの巣の上で」は、精神病を装った男（ジャック・ニコルソン。写真中央）が主人公

はなく「寛解」、つまり病気には変わりはないが、一時的に症状が落ち着いていると判断されたという。

この結果を、ローゼンハンが「狂気の場所の正気の存在」と題した論文にまとめ、科学雑誌『サイエンス』に投稿したところ、多くの精神病院から猛烈な反論が寄せられた。その中に「これから3ヶ月以内に、どれだけ多くの偽患者を送り込んでも必ず見破ってみせる」と豪語した病院があり、3ヶ月後、「41人の偽患者を確認できた」と発表する。が、その間、ローゼンハンは1人の偽患者も送り込んでいなかった。

この実験は、精神医学がいかに曖昧なものであるかを如実に物語っている。

エリザベス・ロフタスの「虚偽記憶実験」

人の記憶は簡単に捏造される

ロフタスの実験は「ショッピングモールの迷子」と呼ばれる（写真はイメージ）

我々は自分の記憶にあることは全部正しいと思い込んでいる。が、人間の記憶ほど曖昧なものはない。それを証明したのが、米ワシントン大学の心理学者エリザベス・ロフタスだ。

１９９３年、彼女が『アメリカン・サイコロジスト』誌に発表したのは「人間の記憶は作り出すことが可能」という実験結果だった。

実験のきっかけは、当時、幼少の頃に虐待を受けたとして子供が親を訴える事件が頻発したことにある。被害者たちはセラピストの治療によって、抑圧されていた虐待の記憶を思い出して行動を起こすケースが多かったのだが、ロフタスはこれに疑問を感じる。被害者らはセラピストの示唆によって偽の記憶を植え付けられたのではないか？

ロフタスは24人の成人の被験者を集め、事前に当人の家族から彼らの幼少時代の話を聞き出したうえで、実際にあった エピソードに「5歳のときショッピングモールで迷子になった」という架空の話を加え、それを書き込んだ冊子を用意。被験者に読ませ、記憶にない場合は正直に書き込むように指示した。結果、被験者の25%が架空のエピソードも自分が体験した本当の記憶だと思い込んでしまう。しかも、架空の記憶に付随し当時の心情やモールの様子、持っていたタオルの記憶までもが当人の中で揺るぎない事実となっていた。

その後に行われた他の実験でも、本来は覚えていないはずの誕生直後の偽の記憶なども自分の体験だと思い込ませることも可能で、さらには「子供の頃に猛獣に襲われた」という大事件さえ、誘導や示唆しだいで半数以上の被験者に、自分の本当の体験だと思い込ませることができると判明した。

人間の記憶は、いとも簡単に捏造される。そして、それが真実なのかウソなのかを確認するのは非常に困難である。

研究結果を発表するロフタス。彼女の実験は臨床の現実性に即していないという批判も少なくない

人の将来は幼少期の自制心で決まる

ウォルター・ミシェルの「マシュマロ・テスト」

１９７２年、米スタンフォード大学の心理学者ウォルター・ミシェルが、大学内の幼稚園に通う１８６人の４歳児を対象に一つの実験を行った。

子供を椅子と机だけ置かれた部屋に通し、椅子に座らせる。机の上には皿にのったマシュマロが一つ。実験スタッフは子供にこう言って部屋を出ていく。

「そのマシュマロは君にあげる。私が戻ってくる15分後まで食べるのを我慢していたら、マシュマロをもう一つあげよう」

大人がいない場所で、彼らはどう反応するのか。これは、子供たちの自制心を測るテストだった。果たして、マシュマロを眺めたり触ったりしているうちに我慢できなくなって食べてしまった子供が３分の２。残りの３分の１が、マシュマロから目を逸らすなどして誘惑に打ち勝った。

それから16年後の１９８８年、テストに参加した子供たちの追跡調査が行われた。実験で、マシュマ

実験の様子。最初はためらっているものの3分の2の子供がマシュマロを口に

ロを食べた子と食べなかった子それぞれが20歳になった時点で、何らかの差が出ているのか否か。結果は歴然だった。食べなかった被験者は、食べた被験者に比べて社会的成功度が高く、周囲から優秀であると評価され、大学進学適性試験においても210ポイント以上も上回っていた。実験当時のIQテストでこれほど大きな差はない。つまり、幼少期におけるIQよりも自制心の強さが将来の成長に大きく影響していたのだ。

これを裏付けるかのように、彼らの大脳を撮影したところ、集中力に関係のある腹側線条体と前頭前皮質の活動に明らかな違いがあることが判明する。もちろん、自制心のあった被験者たちの方が活発だった。

さらに23年後の2011年にも追跡調査が行われ、この傾向は彼らが40歳を越えても継続していることがわかっている。要は、幼少期に適切な自制心を養えるか否かが後の人生を大きく左右するというわけだ。

セリグマンの「学習性無力感実験」
監禁事件の被害者が逃げない心理

実験のシステム
電流が流れることを予告する
電流を流せる仕掛けの床
ここにいると電気ショックが流れる
こちらに移動すると安全になる

マーティン・セリグマンは「学習性無力感」の実証で有名な心理学者である。これは、長期にわたってストレス回避が困難な環境に置かれた人は、その状況から逃れようとする努力すら行わなくなるという理論で、10年間の研究から確立されたものである。

セリグマンが思いつきで犬を使った実験を始めたのは、まだ学生だった1967年のこと。彼は犬を次の3グループに分類した。

①何の制限も与えない。
②電気ショックを回避できない部屋に閉じ込める。
③足でボタンを押すと電気ショックから回避できる部屋に入れる。

続いて、それぞれの犬を低い壁で仕切った部屋（イラスト参照）

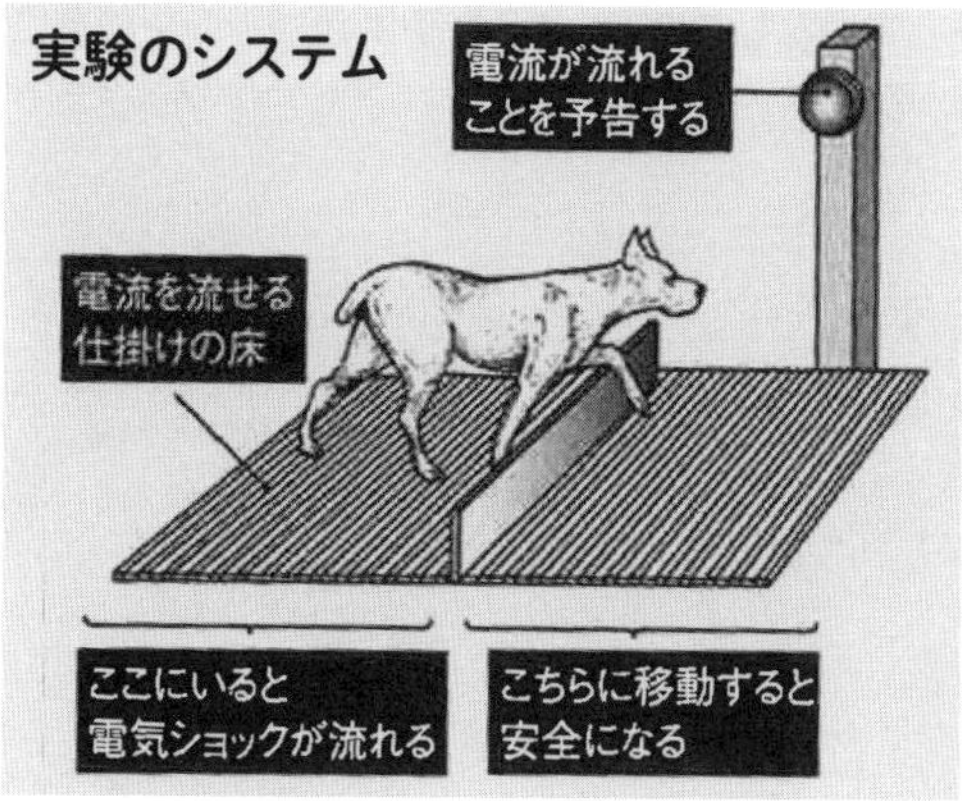

に入れ、各シチュエーションで犬が危機にどう対応するか観察する。結果は次のとおりだ。

①と③の犬は、少しの学習で壁を飛び越えれば電気ショックを受けないことに気づいた。が、②の犬は、自ら行動せず、そのまま電気ショックを受け続けてしまう。いかに努力しても苦難から逃れられないことを学習し、無気力状態に陥ってしまったのだ。

やる気と、新しいことを学ぶ力を奪い、情緒的な混乱を生み出す「学習性無力感」。これは我々人間にもみられる。約9年間にも及んだ新潟少女監禁事件（2000年発覚）や、2016年3月に埼玉少女監禁事件が発覚した際、世間はなぜ少女たちが逃げなかったのか不思議がった。監禁されていた部屋は施錠されていなかったのに、どうして？

この疑問の答えが学習性無力感だ。少女らは誘拐された当初、日常的に脅しや暴力を振るわれ、常に監視状態にあった。どんなに抵抗しても無駄。深い絶望が逃走の意志を完全に奪い去ったのだ。

学習性無力感の治療には、本人が成功し得る簡単な課題4回、高い目標課題1回の計5回を繰り返し与える「再帰因法」が有効とされている（写真はイメージ）

「チェンジ・ブラインドネス」実験

人は話す相手が変わっても気づかない

「お見せする写真の一部が少しずつ変化します。さて、どこが変わったでしょうか？」

クイズ番組でよく見かけるこの手の問題。例えば、左ページ上段に掲載した写真の上の画像が最初に出て、徐々に下のように変わったとしても、なかなか気づきにくい。集中しても時間がかかり、無意識ならなおさら変化はわかりづらい。なぜだろう？

人間が得る情報の80％以上は視覚によるもので、自分で見ているものは間違いないと思い込みがちだ。が、実は途中で視覚的な変化があっても気づけないことが少なくない。こうした変化の見落としを「チェンジ・ブラインドネス」と呼ぶ。

よく知られた実験では、地図を片手に道を尋ねる、というものがある（左ページ下段参照）。若い男性の実験者が白髪の被験者をつかまえ道の説明を受け始めたところで（①）、実験者と被験者の間を縫うように大きな看板を持った作業員が通過（②）。その瞬間、実験者が看板の後ろに隠れていた別人に入れ替

わる（③）。しかし、被験者はその入れ替わりに全く気づかず、道の説明を続ける。

この実験では特に実験者を似せようとしなくても、服の色などに大きな変化がない限り、多くの被験者が気づかないことが判明している。人は視界に入っているものでも、意識している物（この場合は地図）の変化には気づけるが、さほど意識していない物（実験者の顔）の変化は見落としてしまうのだ。

上と下は明らかに違うが、段階を踏んで変化させればなかなか気づきにくい

Aの男性が道を尋ねている途中で看板が横切りBに入れ替わる。被験者は同一人物だと思って疑う様子はない

「ブアメードの血」が教える〝思い込み〟の怖さ

想像だけで人は絶命する

血を採られるという暗示をかけられたら、
大半の人間が平静でいられない

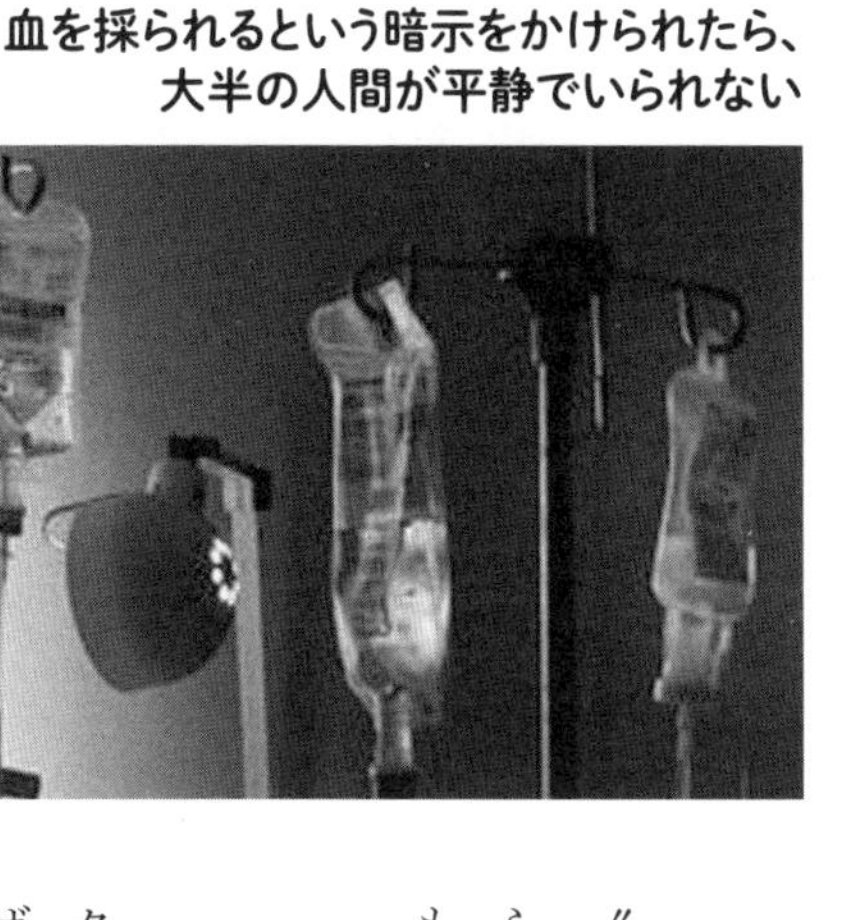

1883年、オランダでブアメードという名の政治犯に対して〝医学の発展〟を名目に1つの実験が行われた。内容は、人体からどれだけの血液を抜いたら死亡するのかというもので、彼自身もこれを了承した。

医師団はブアメードをベッドの上に縛り付け告げる。

「人間は体内の3分の1の血液を失ったら死亡する」

医師団はブアメードの足の親指にメスを入れ、容器に血液をポタポタと落とし始めた。ブアメードには1時間ごとに出血量が告げられたが、総出血量が体重の3割を超えたと伝えられたとき、息絶えてしまったという。実際は一滴の血も流されていなかった

のに……。

この話は、裏づける文献や証拠がなく、単なる都市伝説とされるのが一般的だ。が、人間がブアメードのように暗示にかかりやすい生き物であることは間違いないようだ。

こうした脳の思い込みを利用した医療に「プラシーボ効果」と呼ばれるものがある。全く効果のない薬を処方したにもかかわらず、患者が効くと信じることで実際に改善がみられる現象だ。例えば米カリフォルニア大学で喘息患者55人に偽の薬を投与したところ、多くが症状を緩和。また、カナダの医療機関が約2年にわたり偽薬医療を継続した結果、前立腺の治療に訪れた患者約300人の尿の切れが良くなったという報告もある。

逆に、偽の薬なのに人体に副作用が現れてしまう「ノーシーボ効果」という現象もある。2011年、ドイツのハンブルク大学で被験者22人に、強力な鎮痛剤と信じ込ませたうえで無効果の薬を飲ませた後に服用を止めると、途端に彼らの疼痛レベルが急上昇したという。思い込みは実に怖い存在なのだ。

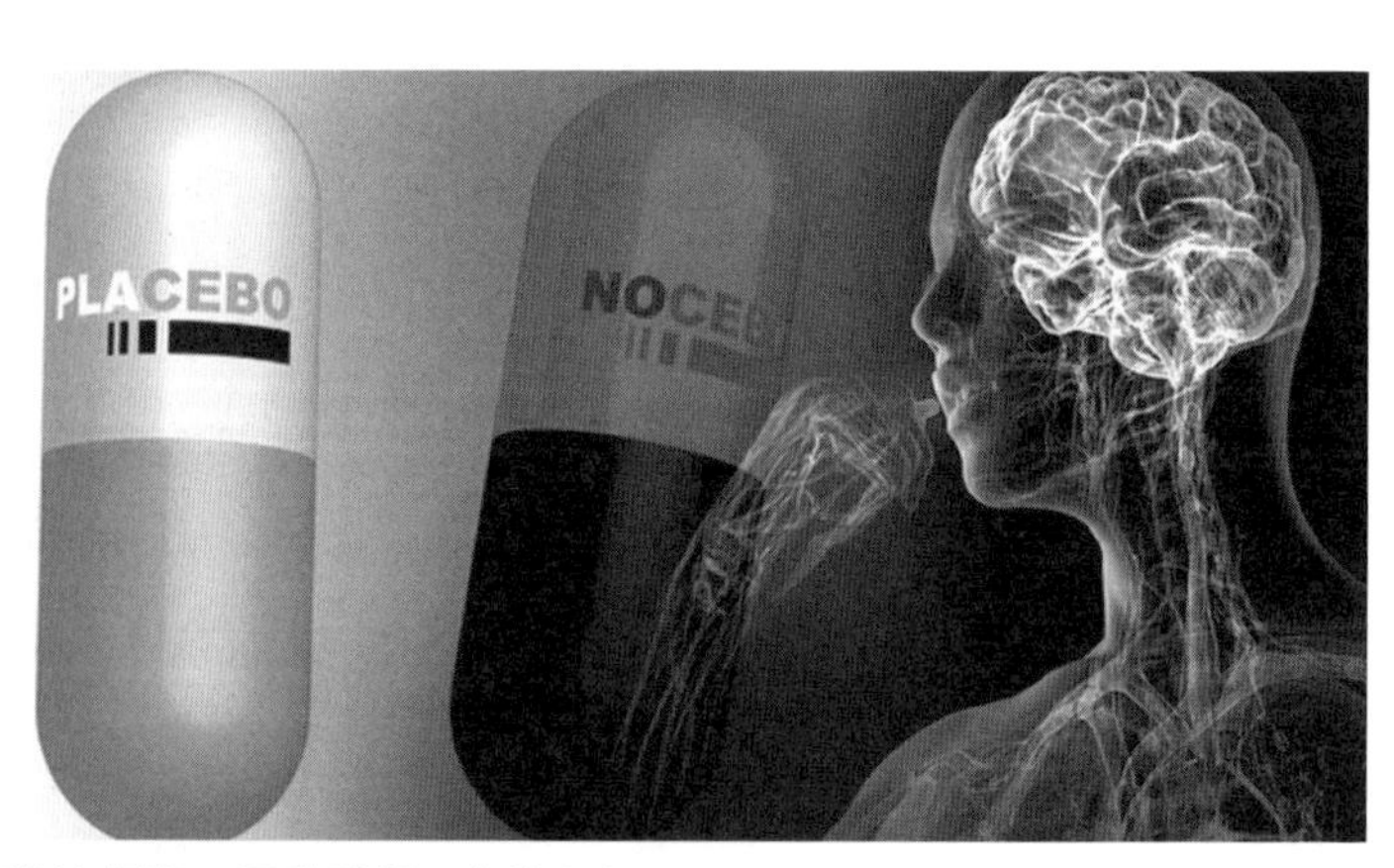

偽薬は実際の医療現場でも使われている

不安にかられているとき人は騙しに遭う

シャクターの「親和欲求実験」

人間は、どうしていいかわからない不安にかられたとき、家族や親しい友人などと一緒にいたいと願うものだ。この感情を心理学用語で「親和欲求」と呼ぶ。１９６０年代、米コロンビア大学の心理学者スタンレー・シャクターが、これを立証するため、同大学の女子大生を対象に実験を行った。

被験者を電気ショック装置が置かれた部屋に案内し、白衣を着た男が言う。

「これから電気ショックの心理学的効果を調べる実験に参加していただきます。かなり痛いかもしれませんが、肌を傷つけたり直接人体に影響を及ぼすことはありませんから、安心してください」

白衣の男は無表情に続ける。

「実験の準備をするまで別室で待っていてほしいのですが、もし、あなたが誰かと一緒に待ちたいなら、それでも構いません。もちろん、一人で待ってもらっても結構です。どうしますか？」

実験は、電気ショックを与えることが目的ではないので、どういう状態で待つか回答を得られた時点

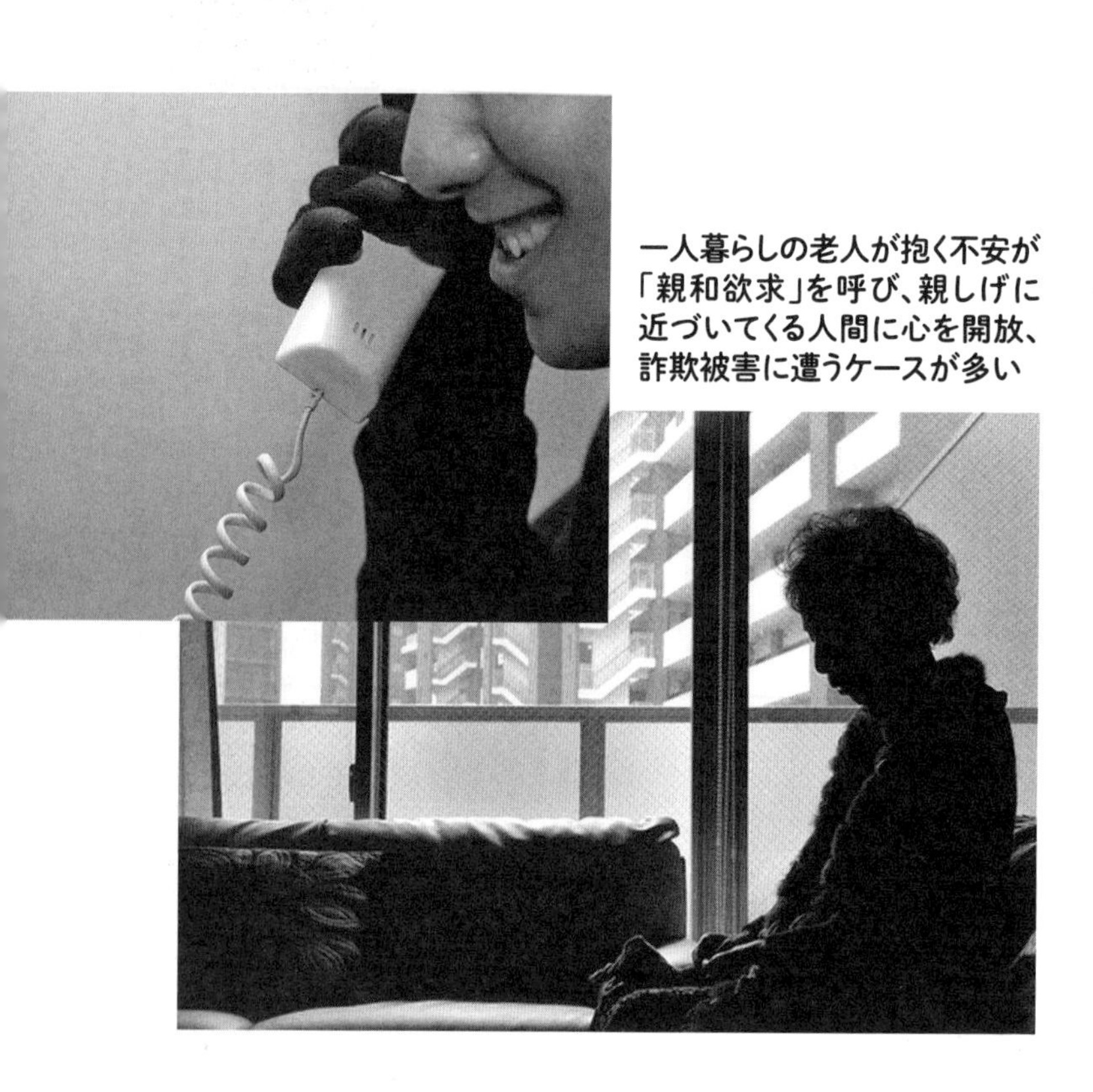

一人暮らしの老人が抱く不安が「親和欲求」を呼び、親しげに近づいてくる人間に心を開放、詐欺被害に遭うケースが多い

で終わる。果たして、3分の2の被験者が自分と同じ境遇にある人と一緒にいることを望んだ。つまり、「これから何をされるかわからない」という不安な気持ちになっていた女子大生の多くに、強い「親和欲求」があったのだ。

何でもない実験のように思えるが、こうした人間の心理に付け込むのが詐欺商法だ。特に狙われやすいのが一人暮らしの老人で、将来の不安をかかえた彼らは強い「親和欲求」を持ち、誰かにそばに居てほしいと願っている。そんなとき、電話や訪問で優しい言葉をかけられ、子供や孫のように接してくれる人間がいたら、つい心を許してしまうのだ。「親和欲求」は、善にも悪にも転ぶ感情である。

ダーリーとラタネの「傍観者効果」検証実験

目撃者が多いと、人は殺人事件が起きても無視をする

1964年3月13日未明、米ニューヨーク州クイーンズ郡キュー・ガーデン地区の路上で、帰宅途中の28歳の女性キティ・ジェノヴィーズが、黒人男性に背中をナイフで刺された。悲鳴をあげ逃げ惑う彼女を、現場に建つアパートの住民38人が窓越しに目撃していたが、誰一人として助けに入らなかったばかりか警察に通報する者さえおらず、キティは強姦被害まで受けたうえ死亡する。

メディアは、都会人の冷淡さを表す顕著な例として事件を大々的に報道した。が、ジョン・ダーリーとビフ・ラタネの両心理学者は疑問を持つ。多くの人が気づいたからこそ誰も行動を起こさなかったのではないか、と。

あくまで仮説にすぎなかったこの大衆心理を解明すべく、2人は実験を行う。被験者の学生たちにカーテンで二つに区切られた部屋の片方で作業をさせる。ある程度、作業が進んだところでもう一方のスペースからテープ音声を流し、誰かがカーテンの向こうでケガをした、という状況を作り出す。さて、

作業中の学生はどんな反応を示すのか？

　結果は部屋に被験者が１人だった場合、70％がカーテンを開けて様子を見たり、声をかけるなどの行動を起こした。が、部屋に１人の被験者と２人のスタッフを入れ、（スタッフに）無関心を装わせると、行動をとる被験者はわずか６％だった。また、別の実験ではグループの人数にかかわらず、最初の３分で行動しなかった人間は、最後まで動かないということも判明。ニューヨークで起きた殺人事件で立てられた仮説は正しかったのである。

　人間は責任感や正義感が無いわけではないが、人数が多くなると、自分の責任は少ないと考えてしまう。同時に、すぐに決断して動かないと最後まで行動を起こさないという心理傾向も持ち合わせている。これを心理学の世界では「傍観者効果」と呼ぶ。

「傍観者効果」の概念を生み出すきっかけとなった殺人事件の被害者キティ・ジェノヴィーズ。写真のアパートから多くの人間が犯行を目撃していたが…

報酬が安い単純作業を面白いと感じる不思議

フェスティンガーの「認知的不協和実験」

イソップ物語に「すっぱい葡萄」という話がある。キツネが、たわわに実った美味しそうな葡萄の木を見つけ、食べようとして跳び上がるが、葡萄は高い位置にあり何度跳んでも届かない。キツネは怒りと悔しさで、「どうせこんな葡萄は酸っぱくて不味いに決まっている。誰が食べるか」と捨て台詞を残して去るというものだ。

このように、自分の欲求が叶わなかったり矛盾を感じたとき、その不満を解消するため行動や考えを肯定的に変更する心理を、「認知的不協和」と呼ぶ。

1959年、米マサチューセッツ工科大学の社会心理学者レオン・フェスティンガーが学生グループを集め1つの実験を行った。12個の糸巻きを容器に並べて取り出すという単純作業を30分、次に留め金の付いたボードを回しては元に戻すという単純作業を30分繰り返す。これを1つのグループには報酬1ドル、もう1つのグループには20ドルで請け負わせる。

実験の様子。被験者の学生(右)に1時間単純作業をさせ感想を聞く

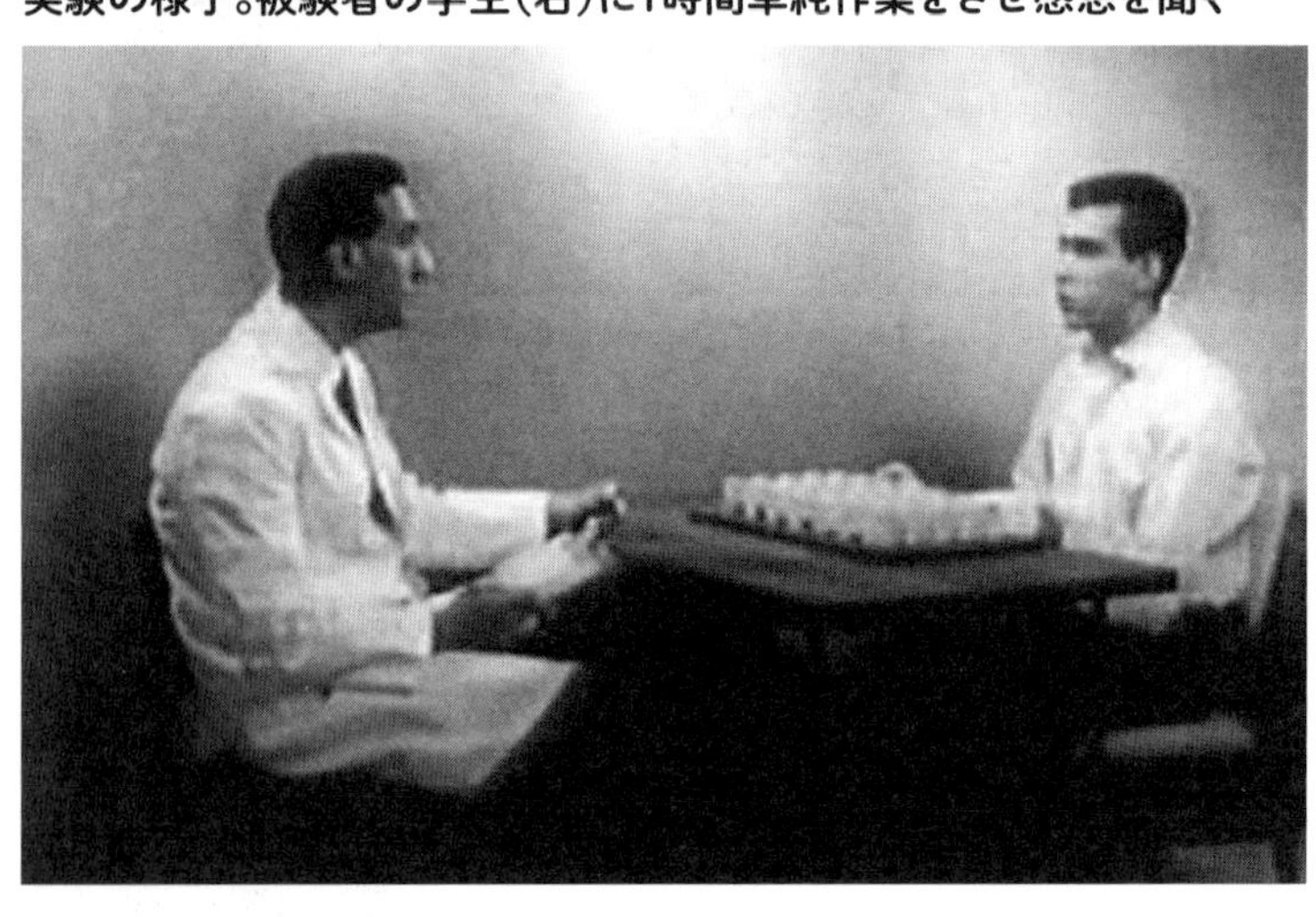

作業後、被験者に「仕事は面白かったか？」と聞いたところ、20ドルのグループは一様に「つまらなかった」と口にし、1ドルのグループは「意外に面白かった」と回答した。普通に考えれば、多くの報酬をもらえた方が面白く感じそうだが、結果は逆だった。

フェスティンガーによれば、「仕事が単調でつまらない」という認知と「つまらないぶん報酬が良かった」という認知は一致するが、1ドルのグループでは「仕事がつまらない」という認知と「つまらないのに報酬が安かった」という認知が対立、その不満やストレスを解消するため、「単調で報酬も安かったけど、作業中は面白いこともあった」と答えたのだという。ちなみに、喫煙者の「タバコは体に悪いが、肺ガンになるとは限らないし、喫煙者でも長生きしている人はたくさんいる」という理屈も、この「認知的不協和」の論理に合致する。

人間は、状況に応じて己の行動を都合よく解釈する生き物なのだ。

ショッピングモールでの「迷子反応実験」

イギリスの大人が困っている少女を助けない理由

5歳の少女がこんな姿で路上にいたら？

2014年、イギリスのテレビ局「チャンネル5」が、買い物客で賑わう、ロンドンのビクトリア駅近くにあるビクトリア・プレイス・ショッピングセンターで1つの社会実験を行った。

7歳と5歳の姉妹が、人通りの多いモールのアーケードで母親を探すようなそぶりを見せる。2人は別々の場所におり、どちらも寂しげな表情で周りを見渡している。さて、この少女たちを見て、人々はどんな対応をするのだろうか？

1時間にわたって行われた実験で、姉妹の横を通り過ぎた人数は616人。この中で少女たちに声をかけたのは1人だけで、残りは見て見ぬふりだった。

声をかけた唯一の人間は老婆で、彼女は番組の取材にこう答えている。

「迷子になったに違いないと思ったけど、一旦は通り過ぎました。でも、念のためと戻ってきたら、そこにまだ少女がいたので、思い切って声を…」

驚きなのは、救いの手を差し伸べた彼女でさえ「ためらった」点だ。実は、イギリスは幼女の誘拐大国で、2000年7月に誘拐・殺害された当時8歳のサラ・ペインちゃんの事件がきっかけで、2011年、小児性犯罪の前歴がある人物の住所や名前などを閲覧できる「サラ法」が成立。それでも誘拐は跡を絶たず、2014年には、ある犯罪組織が過去16年間で1千400人もの子供を誘拐、性的虐待を行っていた事実が発覚している。

少女に声をかけたら、誘拐犯に疑われる——。イギリスのナーバスな社会通念が、迷子を救えない状況を生み出したことは間違いない。

7歳の姉の前を、誰もが見て見ぬふりで通り過ぎていく

アメリカ社会の人種差別が浮き彫りに

白人の子供と黒人の子供が路上で親から虐待を受けていたら？

白人の子供が暴行を受けていると……

2010年のユニセフの調査によれば、アメリカで虐待の被害に遭っている子供は年間約330万人（あくまで報告件数で、実際はその2倍と推測されている）。10秒に1人の割合で虐待やレイプ被害に遭い、それが原因で亡くなる子供は1週間に15人もいるらしい。子供10万人当たりの死亡者数は2・4人で、フランスの1・4人、日本の1・0人、イギリスの0・9人と比較すると、アメリカが突出した虐待先進国であることがよくわかる。

虐待が多いぶん子供への対応にナーバスなアメリカで、2015年、興味深い社会実験が行われた。路上で両親が子供に対して暴行を働いたとき、街の人々はどう反応するのか。この様子を捉えた動画

大人が助けに入る

がネットで公開された。

まずは白人家族の場合、父親が子供に罵声を浴びせ、殴る蹴るの虐待を始めた途端、周囲の人が100％止めにかかる。が、同じ実験を黒人家族で試すと結果は真逆。暴行の様子に気づいても、誰一人として黒人の子供を助けようとしないのだ。実験は、いまだアメリカ社会に根深く残る人種差別・偏見を浮き彫りにしたと言えるだろう。

被害児童が黒人だと
周囲は見て見ぬふり。
何度試しても結果は同じだった

出会い系で知り合った相手が、写真と違い太っていたら？

男女の反応は大きく異なった

男女が知り合うツールとして、今や世界中の人々が利用する出会い系サイト。話が盛り上がり、送られてきた写真を見るとルックスも抜群。会う約束を取り付け、期待満々で待ち合わせの場所に向かう。と、待っていたのは写真とはまるで違う太った相手。マジか!?

2014年、アメリカで出会い系アプリ「ティンダー」を使った興味深い実験が行われた。ごく普通体型の美人女性とイケメン男性を特殊メイクで太らせて複数の相手と対面、その反応を観察するのだ。

結果は、男性の場合、写真とはあまりに違う女性の容姿にとまどい早々に帰ったり、ショックで怒り出す人も。対して女性は相手に失礼な態度をとらないことはもちろん、話が盛り上がったり、中には太った男性と握手したり抱擁を交わす人もいた。

この様子は動画で公開され大反響を呼んだが、ポイントはなぜここまで男と女で反応に違いが出るか、だ。解説によれば、男性にとってオンラインで出会った相手とデートする際に最も恐れるのは、女

性が太っていることらしい。一方、女性が出会い系で気にするのは、男性が連続殺人鬼ではないかという危惧だという。日本人には理解しがたいが、アメリカでは、初めて会った相手に殺されるかもしれない不安は、容姿の優劣以上に大きいそうだ。

会う前に相手に送った写真。2人とも実際は美男美女

特殊メイクで太らせて

いざご対面

権力者からの命令は、どんな残虐な内容でも絶対逆らえない

ミルグラムの「アイヒマンテスト」

2017年、「アイヒマンの後継者　ミルグラム博士の恐るべき告発」というアメリカ映画が公開された。タイトルにある「アイヒマン」とは、第二次大戦時に数百万のユダヤ人を絶滅収容所へ輸送する際の責任者だったナチス高官アドルフ・アイヒマンのことだ。

戦争終結から15年後の1960年、アイヒマンは逃亡先のアルゼンチンで拘束され、イスラエルで裁判にかけられる。傍聴人の誰しもが、アイヒマンを残虐非道で野蛮な人物だと考えていた。が、法廷の証言台に立った彼の態度は、そのイメージとはかけ離れた、温厚で紳士的なものだった。いったい、なぜこんな平凡な人間が、鬼畜にも劣る行為を働いたのか。この疑問を検証すべく、米イェール大学の心理学者スタンレー・ミルグラムが1962年、「アイヒマンテスト」と呼ばれる実験を行った。

公判時のアイヒマン

映画「アイヒマンの後継者 ミルグラム博士の恐るべき告発」で再現された実験シーン

「記憶能力についての調査」という名目で集められた20～50代の一般男性40人を「生徒役」と「教師役」の2人1組にペアリング。教師役と生徒役は別々の部屋に入り、教師役は白衣を着た権威に満ちた博士が見守る中、生徒役に簡単な問題を出す。答えが間違っていれば、教師役は罰として生徒役に電流を流す。電圧は45Vから始まり、1問間違えるごとに15Vずつ増量、電気ショックの機械の前には「120V＝大声で苦痛を訴える」「300V＝壁を叩いて実験中止を求める」などと記した表があり、最高電圧は450Vだった。

2つの部屋はインターホンで互いに声が聞こえ、教師役が電流を流すと生徒役の叫びが耳に入るようになっていた。それに耐えきれず教師役が電流ボタンを押すのをためらったり、実験続行を拒否すると、博士が「あなたが責任を持つ必要はない」などと冷酷な通告を行う。実はこの実験、本当の被験者は教師役のみで、生徒役も博士役も全て実験スタッフが送り込んだ役者。電流も実際には流されておらず、生徒役の部屋から聞こえてくるのは、事前に録音された叫び声のテ

ープだった。

実験を行うにあたり、ミルグラムはイェール大学で心理学専攻の4年生14人を対象に、実験結果を予想するアンケートを実施している。回答者はみな、実際に最大の電圧を付加する者はごくわずか（平均１・２％）と予想した。が、実験の結果は異なる。被験者40人全員が３００Ｖまで送電し、65％の26人が最終的な４５０Ｖまでボタンを押したのだ。

ミルグラムは実験後、語っている。

「命令する権力者がいて、その権力者が責任を持っているような状況下では、頭ではわかっていても、非人道的な行為をするために思考を停止させる」

アイヒマンにとっては、ヒトラーという権力者に逆らえなかったというわけだが、この実験は、一定の条件さえ揃えば、どんな人間でも悪魔になり得る危険性があることを示唆している。

実験の略図

博士役

教師役
（被験者）

生徒役

実験の様子。電流を流すことをためらう被験者（左。教師役）に、博士役の人物が指示に従うよう冷静に促す

第6章

知らなきゃよかった！本当は怖いエトセトラ

死の瞬間、肉体から離れていく光の重量
人間の魂の重さは21グラム

**そもそも人間に魂は存在するのか？
重量があるのか？**

今をさかのぼること100年以上前、米マサチューセッツ州の医師ダンカン・マクドゥーガルが、ある実験を行った。入院中の結核患者が横たわるベッドを精密な秤で計量し、死の直後と体重がどう変化しているかを調べたのだ。記録によれば、マクドゥーガルは6人の末期患者を計量し、死の瞬間に立ち会ったという。目的は、死後に肉体を離れていく〝魂の重さ〟を割り出すことにあった。

遺体をそのままにしておけば、徐々に乾燥して軽くなる。この実験でも例外ではなかった。そこで、マクドゥーガルは死後に失われる体液やガスも考慮に入れて入念に計算。人間の〝魂

の重さ〃は4分の3オンス、つまり21グラムであると結論づけた。

1907年、マクドゥーガルがこの結果を学術誌で発表したところ『ニューヨーク・タイムズ』が大々的に取り上げ、広く世に知られるところとなったが、アカデミズムの世界では強く疑問視され、いったんは沈黙を余儀なくされる。

4年後の1911年、マクドゥーガルは再び『ニューヨーク・タイムズ』の一面トップを飾る。新たに、患者の死の瞬間、すなわち〃魂の写真〃を撮影していると発表したのだ。何でも、改めて十数人の末期患者の死に立ち会い写真を撮影したところ、死の瞬間の人間の頭部には「星間エーテル」にも似た光が取り巻いており、この光が肉体から離れていく21グラムの魂だったという（ちなみに、「星間エーテル」とは中世の物理学の概念で天界を構成する物質のこと。現代の科学では否定されている）。

これでは科学ではなくオカルトの話になってしまうが、マクドゥーガルは1920年に54歳で逝去。結論は出ていない。

ショーン・ペン、ナオミ・ワッツらが出演した2004年公開のアメリカ映画「21グラム」の作品名は、マクドゥーガルの実験結果に由来している

火葬後の骨を捨てると「死体遺棄罪」に問われる

自宅の庭に埋めてもアウト

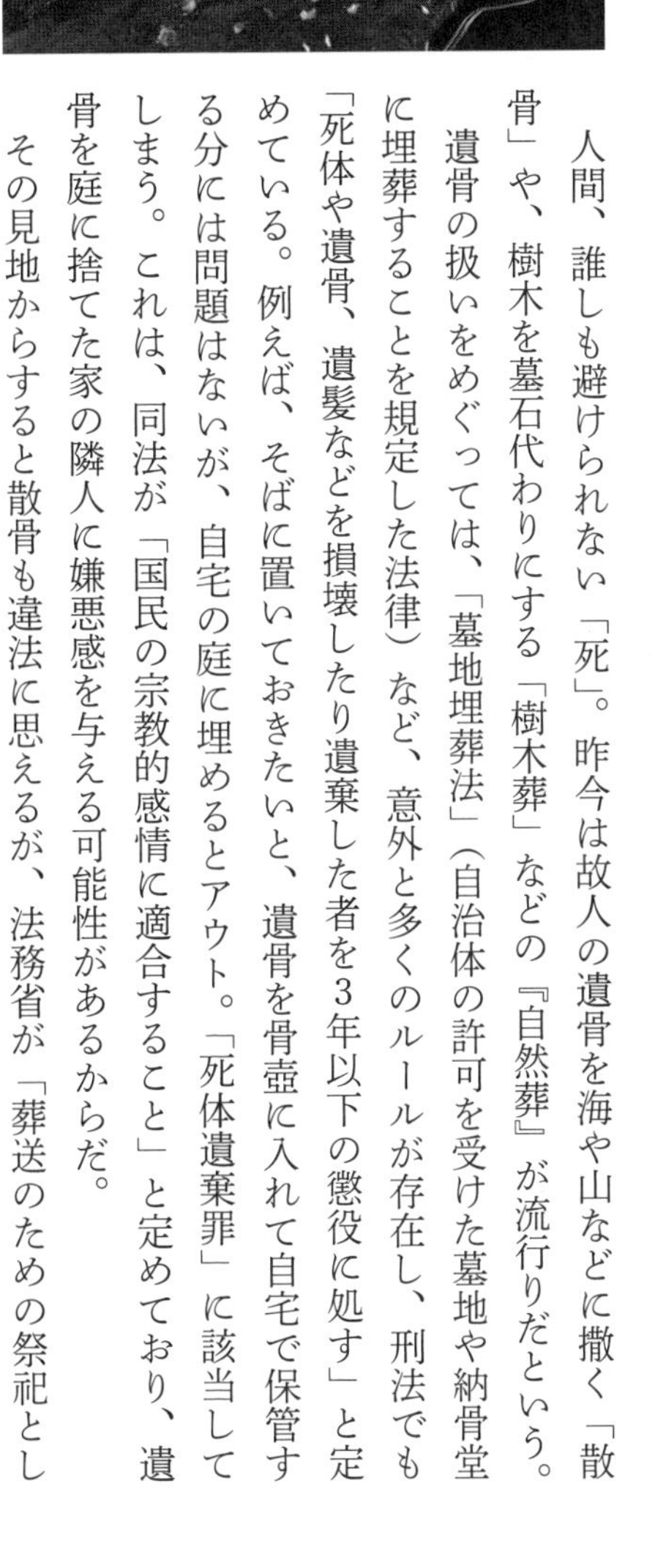

人間、誰しも避けられない「死」。昨今は故人の遺骨を海や山などに撒く「散骨」や、樹木を墓石代わりにする「樹木葬」などの『自然葬』が流行りだという。遺骨の扱いをめぐっては、「墓地埋葬法」（自治体の許可を受けた墓地や納骨堂に埋葬することを規定した法律）など、意外と多くのルールが存在し、刑法でも「死体や遺骨、遺髪などを損壊したり遺棄した者を3年以下の懲役に処す」と定めている。例えば、そばに置いておきたいと、遺骨を骨壺に入れて自宅で保管する分には問題はないが、自宅の庭に埋めるとアウト。「死体遺棄罪」に該当してしまう。これは、同法が「国民の宗教的感情に適合すること」と定めており、遺骨を庭に捨てた家の隣人に嫌悪感を与える可能性があるからだ。

その見地からすると散骨も違法に思えるが、法務省が「葬送のための祭祀とし

て節度をもって行われる限り問題ない」という公式見解を発表。他人の私有地や散骨禁止条例のある地方自治体をのぞき、他人に迷惑をかけない場所や海洋なら特別な届け出の必要はないそうだ。

だからといって、遺骨や遺灰を勝手に処分していい訳ではない。最近、遺骨の遺棄事件が増加しているのだ。２０１５年4月、妻（当時64歳）の火葬したばかりの遺骨を東京都練馬区のスーパーのトイレに捨てた夫（同68歳）が死体遺棄容疑で書類送検された。生前、嫌になるほど苦労をかけさせられたことによる憎しみが動機だったという。また２０１７年1月には、ＪＲ東京駅のコインロッカーに妻の遺骨を納めた骨壺を捨てた疑いで74歳の男性が死体遺棄罪で逮捕されている。男性は２０１４年8月に病死した妻を火葬後、その遺骨を自宅で保管していたが、「別の女性と一緒に住むことになり邪魔になった」と供述したそうだ。その他、母親の骨壺をゴミ回収所に捨てたり、夫の遺骨を寺の境内に放置して逮捕された女性もいる。いずれも、墓を買う資金がなかったという理由なのが哀しい。

男子のトイレは、
使用禁止中です。
身障者トイレを
（店長）
68歳男を書類送検
ホウドウキョク
スーパーのトイレに妻の遺骨捨てる
FNN
昨今、遺骨の遺棄事件が相次いでいる

クリスマスや年末年始のイベント前に密会の傾向あり

11月18日は、70％以上の男が不貞を働く「浮気の日」

２０１３年、有名コンドームメーカー「相模ゴム工業」が全国の20〜60代の男女１万４千人を対象に、性体験に関する調査を実施したところ、26・９％の男性が「結婚相手・交際相手以外に特定または不特定の相手と浮気をしている」ことが判明。世の女性たちに衝撃を与えたが、イギリスではさらなる事実が明らかになった。

英紙『デイリー・メール』が２０１６年11月に報じた記事によれば、イギリスの既婚者向け出会い系サイト「Illicit Encounters（不倫の出会い）」が同年秋に３００人の会員を対象にアンケート調査を行った結果、72％（２１６人）もの男性が、ある特定の日に不倫相手と会うことがわかったそうだ。一般的にはクリスマスや年末年始、イベント事の日と考えがちだが、なんとそれは11月18日の金曜日だったという。

分析によると、同日以降はキリスト降誕劇やクリスマスのための買い物や飾り付けなどの行事が目白

押し。さらに学校が休みになって子供たちも家にいるようになると家族サービスが最優先事項になる。また欧米では、11月の第4金曜日は「ブラックフライデー」と呼ばれるクリスマス商戦のスタート日。11月18日はその前週にあたり、この日を選ぶということはすなわち、大きなイベント週間が始まる前に浮気相手と会っておこうという魂胆が働いているのだそうだ。

これはあくまで欧米の話で、日本人には無関係と考えるのは早計だ。元探偵が運営する浮気調査サイト「浮気発見.xyz」によれば、日本でも11月は浮気が増加。調査依頼が増えるという。年の瀬はイベント事で忙しくなるから、その前にちょっと浮気をと考えるのは世界共通のようだ。

親が自殺・自殺未遂した子供の自殺願望は500％に跳ね上がる

うつ病やパニック障害を起こす前のケアが重要

２０１８年９月、ＷＨＯ（世界保健機関）が発表した世界１７２ヶ国の自殺死亡率（人口10万人当たりの自殺者数）によると、日本は18・５人でワースト９位。平均の12・４人と比べ極めて大きな値で、先進７ヶ国では最悪レベル、特に女性は４位にランキングしている。それでも警察庁の自殺統計によると、２０１８年の自殺者数は２万５９８人（男性１万４千１２５人、女性６千４７３人）で、２００３年の３万４千４２７人をピークに減少傾向が続いているという。

日本には自殺未遂者をカウントした統計はないが、自殺死亡率13・８人のアメリカでは、少なくとも毎年１００万人以上が自殺および自殺未遂をしているそうだ。

２０１５年１月、米ピッツバーグ大学医療センターの研究チームが、親が自殺あるいは自殺未遂した場合、その子供が同じ道をたどる危険性は５００％になると報告した。

研究チームは、親がうつ病やパニック障害などの気分障害になったことがある10〜50歳の７０１人を

調査。その結果、彼らの親たち334人のうち、過去に自殺しようとした人が191人いたことがわかったという。しかも、その191人の子供の6・3%が調査に参加する以前に自殺未遂を起こし、調査中に自殺しようとした人も4・1%いたそうだ。自殺未遂や気分障害歴を持つ子供たちの家庭環境を分析してみても、親の自殺未遂が子供の自殺未遂に直接影響を与えているのは明らかだという。

アメリカでは、10〜24歳までの死亡原因の第3位が自殺で、毎年この年齢の子供たち約4千600人が自殺が原因で死亡。自殺未遂者は年間15万7千人を数えるらしい。

研究チームは、いわゆるキレたりカッとなるなどの「衝動的攻撃性」が自殺に繋がるパニック障害やうつ病などの前兆なので、それにいち早く気づくことで、親と同じ道を歩ませないよう守ることができると指摘している。

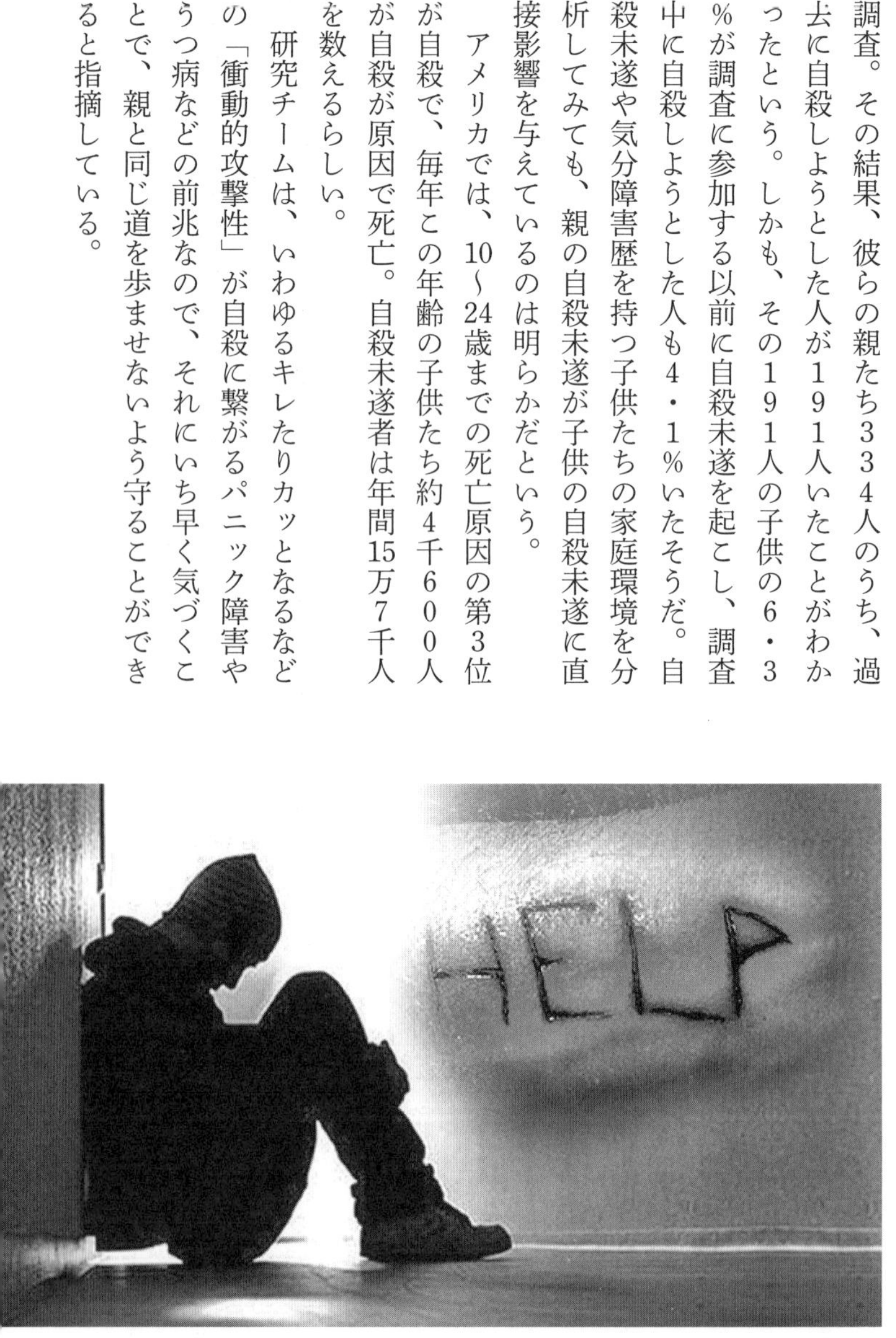

周囲の気遣い、注意が子供の自殺防止に繋がる

恋愛、スキー、立ち食いなど、禁止事項多数
NHK「うたのおねえさん」に課せられた厳しすぎる掟

ＮＨＫ Ｅテレの「おかあさんといっしょ」は、テレビ黎明期の１９５９年に始まった幼児向け教育・音楽番組で、誰もが子供の頃に見た覚えがあるだろう。

司会進行を担当するのは、「うたのおねえさん」「うたのおにいさん」で、「たいそうのおにいさん」とともに番組の顔だ。中でも話題になるのがおねえさんで、放送が始まって60年の間に登場したおねえさんは21人。番組で歌や体操、人形劇などを担当するため、現役の音大生が選ばれることが多く、童謡歌手となった小鳩くるみや、タレントとして活躍するはいだしょうこなど多彩な人材を輩出してきた。

２０１６年３月、そんな「うたのおねえさん」が世間の注目を浴びる出来事が起きた。お父さん方にも人気で８年務めた20代目のおねえさん、三谷たくみが急きょ、番組を降板してしまったのだ。理由は公にならなかったが、共演していたうたのおにいさんとの「車内チュー」を撮られた直後だったため、これが原因ではないかと噂されている。

同時に明らかになったのが、うたのおねえさんの厳しすぎる日常だ。そもそも抜擢されること自体が超難関で、オーディション情報は特定の音楽大学や有名劇団だけにアナウンスされ、その倍率はおよそ６００倍。日本一難しいとされる東京大学理科Ⅲ類（医学部）の上をいく。晴れて選ばれたとしても、最初の３ヶ月で１千曲の歌を覚え、月曜から水曜は番組収録、木曜は翌週のリハーサル、金曜には歌の収録、土日は地方でコンサートと、超ハードスケジュールが待っている。

わずかに残されたプライベート生活でも、子供たちの規範となるキャラクターイメージを壊さないよう数々の禁止項目が存在する。例えば、ファッションやネイルも派手なものはＮＧで、立ち食い、ＮＨＫ以外のテレビ出演も厳禁。三谷たくみのような恋愛スキャンダルはもちろん、結婚、妊娠も禁じられている。さらに代役を立てられないため、飛行機の欠航などを考え、海外旅行は禁止。ケガ防止のためかスキーや自動車の運転も止められているという。

服装や化粧から、日常生活、恋愛、外出先まで徹底的に制限され初めて、うたのおねえさんは子供たちのアイドルでいられるのだ。

2016年3月、突然番組を降板した20代目うたのおねえさん三谷たくみ。画像は降板にあたり出版された彼女の写真集

「犯罪傾向星占い」で人間の犯罪欲求がわかる!?

おとめ座は黒幕、さそり座はストーカー

テレビの朝の情報番組では欠かせない「星占い」。さほど真剣に見ている人は多くないかもしれないが、2017年5月、オルタナティブサイト「EWAO」が紹介した「犯罪傾向星占い」は実に気になる。星座から人間がどんな犯罪を犯しやすいか、全て明らかになってしまうというのだ。信じる信じないは自由だが、以下、紹介しよう。

●**おひつじ座**/自己中心的。自分を特別視する傾向があるため、非合法なオカルトに染まりやすい。
●**おうし座**/頑固で反体制的。暴力をふるいやすく、一方で銀行強盗などにも加担。
●**ふたご座**/多重人格の傾向がある。「なりすまし犯罪」や「個人情報泥棒」をしでかす可能性が高く、もしかしたら「オレオレ詐欺」をする人には、ふたご座が多いかも。
●**かに座**/危険人物。冒険を愛し、突拍子もない行動で周囲を驚かせる。つまり、あらゆる犯罪に手を染める可能性がある。

●しし座／支配欲が強く、神になりたがっており、労働に嫌悪感を抱いている。そのため活動的で気楽なドラッグの運び屋になる可能性が高い。

●おとめ座／犯罪の黒幕にいることが多い。政府の機密情報をハックし、世間に公表するなどの知能犯罪が多い。

●てんびん座／秘密主義的。隠れて行う犯罪に傾きやすく、例えばマネーロンダリングや金銭の横領で捕まることが多い。

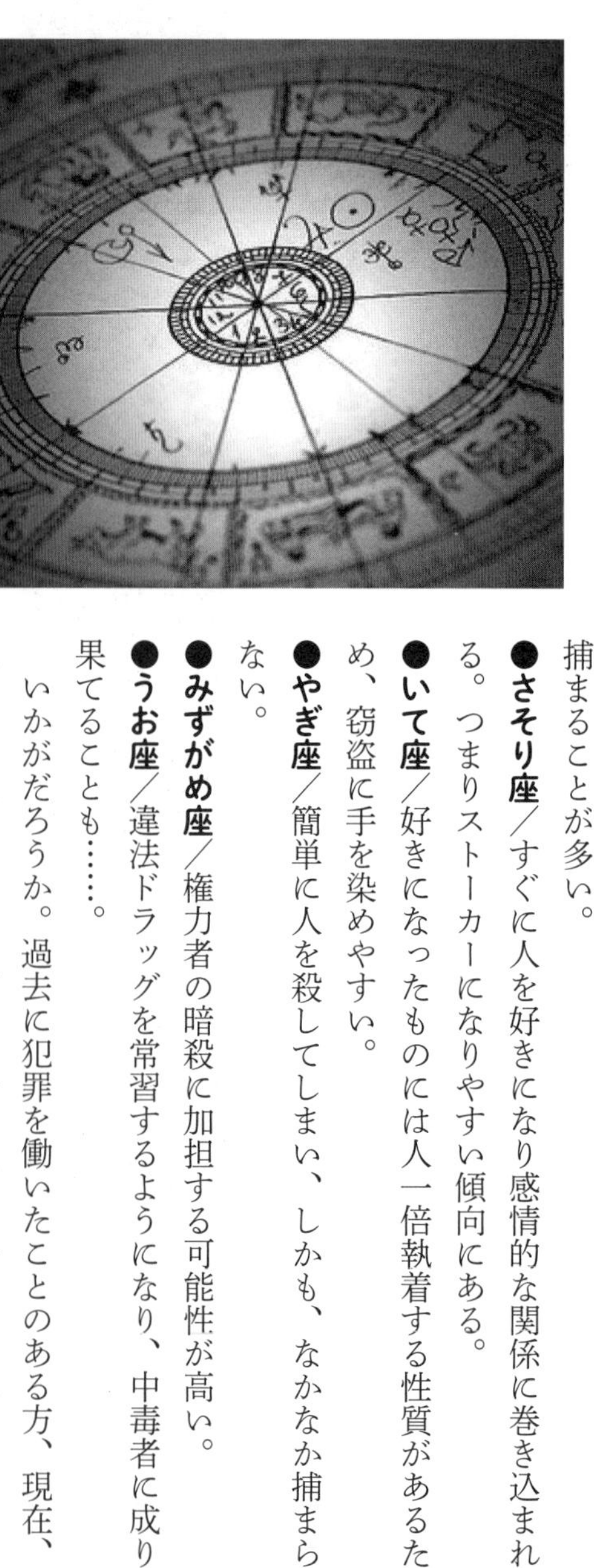

●さそり座／すぐに人を好きになり感情的な関係に巻き込まれる。つまりストーカーになりやすい傾向にある。

●いて座／好きになったものには人一倍執着する性質があるため、窃盗に手を染めやすい。

●やぎ座／簡単に人を殺してしまい、しかも、なかなか捕まらない。

●みずがめ座／権力者の暗殺に加担する可能性が高い。

●うお座／違法ドラッグを常習するようになり、中毒者に成り果てることも……。

いかがだろうか。過去に犯罪を働いたことのある方、現在、犯罪に加担中の方は、ぜひ自分と照らし合わせてみてほしい。

洗脳看護、カルト施設。莫大な献金 マザー・テレサは「聖人」とはほど遠い人物だった

マザー・テレサ。
「無償の愛」の代名詞のような存在だが……

貧しい人、病める人、孤児、末期の人たちのために生涯を捧げ、ノーベル平和賞を受賞した修道女マザー・テレサ。1997年に87歳で死亡した後は、ヨハネ・パウロ2世が彼女を列福し、2016年9月にはカトリック教会から特に崇拝・崇敬すべき対象として「聖人」の認定を受けている。

まさに偉人の中の偉人というべき人物だが、2013年3月、カナダのモントリオール大学とオタワ大学の研究員らが、マザー・テレサの美談や名声は、カトリック教会の誇大宣伝のために捏造されたもので、実

際の彼女は、聖人にはほど遠い人物だったとする論文を発表した。

彼らはマザー・テレサに関する文献資料約３００件を調査、彼女が世界中に開設した５１７ものホスピスは衛生状態が悪く、医薬品は慢性的に足りず、満足な食事さえ与えられなかったと報告。その一方、マザー・テレサの修道会は何百万ドルもの多額の寄付を受けており、彼女本人が医師の診療を受けるときは、高額な米国の医療施設へ通っていた事実を突き止めたという。また研究員たちは、マザー・テレサがホスピスで患者の痛みを和らげるのではなく、痛みに耐えろという看護方法をとっていた点、後に詐欺罪で逮捕される投資家やハイチの右翼独裁者から多額の献金を受けていた疑惑がある点も問題視している。

こうしたマザー・テレサの人物像を批判する意見は以前から出ており、例えばイギリスのジャーナリスト、クリストファー・ヒッチェンズは、彼女が世界中から集めた寄付金でファーストクラスの病院を建てることなど容易だったにもかかわらず、患者をカルト教団のような施設に収容し、痛みに耐えれば天国へ行けると繰り返し洗脳したと激しく非難。また、宣教者会の元修道女であるスーザン・シールドの手記によれば、マザー・テレサが死の床にある病人へ秘密裏に洗礼を授けるよう修道女たちに指導。患者に「天国への切符を得たいと望みますか」と質問した後、熱を冷ますふりをして額に水で濡らした布を置き、祈りの言葉をささやいて、気づかれないように洗礼を授けていたそうだ。

こうした一部の批判だけでマザー・テレサの神話が揺らぐとは思えないが、彼女が一点の曇りもない偉大な人道支援活動家であるというイメージには疑いを持ってもよさそうだ。

文法ミスを指摘する人間は圧倒的に性格が悪い

「グラマーナチ」を見分ける実験で判明

パソコンの変換ミスや文法ミスを指摘されるのは、決して気持ちのいいものではない。英語圏では、些細な文法ミスをこれ見よがしに指摘する人を「グラマーナチ（文法ナチ野郎）」と呼び、皆から嫌われている。これは日本でも同じで、ネットの掲示板やSNSで言葉の揚げ足を取る人は敬遠されがちだ。

アメリカでは、この傾向を学術的に研究。文法ミスを指摘する人が実際に「内向的で感じの悪い人間」であることがわかったという。検証したのはミシガン大学の言語学者で、被験者らに①タイプミスを含む文章、②文法ミスを含む文章、③ミスの無い完璧な文章の3種類を読ませ、それぞれの書き手についての印象を評価させるという実験を行った。その後、被験者ら自身の性格を自己評価させたうえで、実験で使用された文章のミスに気づいたかどうかを尋ね、答えが「YES」なら文法ミスやタイプミスにうるさい「グラマーナチ」の傾向があると推論した。

実験には83人のボランティアが参加し、文章は〝同居人募集の広告文〟に対する12通の返信メールが

使用された。扱われたタイプミスは、mkae（make）やabuot（about）、文法ミスはto（too）、youre（you're）、its（it's）など、極めて些細なもの。その結果は、予想どおりだった。年齢や性別にかかわらず、より外向的な人物の方がミスを見逃す傾向にあり、感じが悪く内向的な人物は「ミスの多い文章を書く人」を否定的に評価する傾向にあったそうだ。

また、タイプミスは書き手の注意不足に原因があり、正しいスペルを知らないとは思われにくい一方、文法ミスに関しては書き手が文法を知らないと判断されがちだという。そのせいか、文法ミスに対する評価は書き手の人格に対するものが多く、「信用に値しない」など、書いた文章と直接関係しない事柄にまで及んだそうだ。例えば、日本語で「公園〝を〟行く」などの「てにをは」の間違いが文法ミス。「公園に逝く」のような漢字の間違いがタイプミスだ。

この実験から、感じの悪い人はより文法ミスに敏感で、勤勉で開放性が低い人はタイプミスに敏感であることが判明したそうだ。

輪姦した女性を〝六甲〟山中で車から〝おろす〟

阪神タイガースの応援歌「六甲おろし」は激ヤバ性犯罪の隠語

応援する女性ファンを意味する〝虎ジョ〟なる言葉も生まれ、依然、人気の高い阪神タイガース。「六甲おろし」はファンなら誰もが知る球団応援歌だ。

しかし、〝虎キチ〟〝虎ジョ〟にとって聖歌ともいうべき「六甲おろし」が、関西エリアでは、性犯罪の隠語として用いられているのをご存じだろうか。ネットなどの情報をまとめると、その内容は以下のとおりだ。

不良グループが輪姦目的で、女性をワゴン車に拉致する。女性が抵抗すると、「殺す」などと脅して言うことをきかせ、生で中出し。そのまま六甲山に行き、女性を全裸のまま車から降ろして逃げる。つまり「六甲」で「おろし」てしまうのだ。

不良グループが事に及ぶのは深夜だから、山中で放り出された女性にとっては死活問題。そのうえ、グループのメンバーたちは巧妙にいくつものトラウマを仕掛け、女性の戦意を奪ってしまう。確かに、

何人もの男たちに輪姦され中出しされた挙げ句、夜の六甲山に全裸で独りぼっちにされれば、警察に駆け込もうという気すら失ってしまうだろう。運良く警察に保護されても、恐怖の度が過ぎ何もしゃべれなくなってしまうに違いない。

恐ろしいのは、この鬼畜グループはカップルごとさらい、彼氏をボコボコにして、その目の前で彼女を輪姦することさえあるというところだ。しかも恐怖は、男たちが去っただけで終わらない。全裸で降ろされた被害女性が為す術もなく山を降り始める。が、仮に他の車が通りかかっても、全裸で歩く女性の姿はホラーそのもの。誰も車を停めてくれない。そこに、さらなる恐怖が襲う。別の鬼畜グループに見つかり、再度、山中に連れていかれ、輪姦という「六甲おろし」に遭ってしまうのだ。

阪神タイガースの応援歌のタイトルが、鬼畜たちの隠語としてまかり通っていると知ったら、歌うのも聴くのも複雑な気分になるというものだろう。

「六甲おろし」はタイガースファンならずとも
歌えるほどメジャーだが……

これほどシャブが蔓延するとは想像もしなかったに違いない

覚醒剤を発明したのは日本人

世界を汚染する覚醒剤が、日本で発明されたのをご存じだろうか。

覚醒剤の成分は「アンフェタミン」と「メタンフェタミン」の2種類に分かれるが、アンフェタミンは1887年、ルーマニアの化学者ラザル・エデレアーヌが、そしてメタンフェタミンの合成は1893年、日本の薬学者、長井長義（ながいながよし）が世界で初めて成功させた。

とはいえ、当初は現在のような覚醒作用は発見されておらず、アンフェタミンは1933年にアメリカで喘息の治療薬として発売されたところ、副作用があることがわかって使用禁止に。しかし、アメリカでは、2004年まで痩せ薬としても使われていたというから驚く。一方、メタンフェタミンは1938年にドイツで興奮剤として発売され、ナチスは兵士に支給していたが、あまりに覚醒作用が強いため1941年に危険薬指定とし、一般人の使用は制限されるに至った。

ところが日本では、同じ1941年にメタンフェタミン製剤とアンフェタミン製剤が発売。中でも

「ヒロポン」と名づけられたメタンフェタミン製剤は「飲めば眠らなくても仕事ができる、勉強もできる、何でもできる万能薬」として一般に大流行した。当然、日本軍もその作用を知って大量に使用。「突撃錠」「猫目錠」などと呼び、特攻隊でも恐怖心を抑えるため使われていた記録が残っている。

戦後、日本は覚醒剤の第1乱用期に突入した。敗戦とともに軍隊から「メタンフェタミン製剤」が市中に大量に流出したことに加え、町の薬局で普通にメタンフェタミン製剤が売られていたのだ。1951年に「覚せい剤取締法」が施行されるも、1954年には約5万6千人という史上最悪の検挙者数を記録。1956年になり、取締法の改正で罰則が厳しくなり、さらに精神保健福祉法の改正によって覚醒剤依存者を措置入院させることが可能になり検挙者数はようやく減少する。

しかし、その後も暴力団や外国人密売組織の暗躍で乱用者は跡を絶たない。長井長義も、自分の発明品によってこんな世がやってくるとは想像もしていなかったに違いない。

アンフェタミンより強い覚醒作用を持つメタンフェタミンを発明した薬学者、長井長義（1845－1929）

アメリカ政府に不都合な描写は問答無用で削除

ハリウッド映画は全て国防総省に検閲されている

1997年、英国秘密情報部MI6の諜報員ジェームズ・ボンドが活躍する007シリーズ第18作「007トゥモロー・ネバー・ダイ」が公開された。映画は同年の興行記録世界第4位の大ヒット作となったが、2017年5月、アメリカの情報サイト「ディスクローズTV」が、本作について衝撃的な記事を掲載した。

劇中、ボンドが高高度降下低高度開傘を投下する軍用機から飛び降りて、入り江に着水するシーンがある。この場面、シナリオの第一稿では、CIA所属の仲間がボンドに「戦争の始まりだな。ま、俺たちが勝つんだがね」と余裕で声をかけることになっていた。が、ペンタゴン（アメリカ国防総省）がこの台詞を認めず、強制的に削除させたのだという。米軍の非情さを彷彿させる描写が国益を損なうというのが理由らしい。

さらに本作では、秘密作戦を示すコードネームが、初稿の「Ranch Hand」から「Angry Man」に変更

させられたという。言わずもがな、コードネームは架空の名前。変更の必要などなさそうだが、ベトナム戦争時、米軍は実際に「Ranch Hand」のコードネームのもと北ベトナム農村部に9年間にわたり数千万ガロンの毒を撒き、食糧を壊滅させようとしていたらしいのだ。

自由の国アメリカ、映画の都ハリウッド。そこに国の検閲が入るなど、にわかには信じがたいが、同サイトによれば、これは顕著な例にすぎず、現実には国防総省が全ハリウッド映画を検閲し、米政府にとって不都合な描写があれば、ハリウッド連絡係が「不適切」の烙印を押し、制作者が折れるまで脚本を手直しさせているという。結果、「パトリオット・ゲーム」（1992）では、CIA引退者がイギリスでゲリラと戦い王室を救ったというヒーロー物語が世界中で披露され、「ミート・ザ・ペアレンツ」（2000）では娘の恋人をウソ発見器で取り調べる元CIA職員の活躍がシリーズ3まで制作され続けたという。

なお、この報告は同サイトが4千本もの作品を調査した結果に基づくもので、これまで「米軍は優秀で戦闘力がある」という自己愛に満ちた作品が1千800本以上確認されているそうだ。

ハリウッドは
米政府に支配されている!?

「結婚とは野獣とセックスすること」と説くおとぎ話

名作アニメ「美女と野獣」の本当のテーマは「処女と獣姦」

ディズニーが制作した大ヒットアニメ映画「美女と野獣」。２０１７年には実写版も公開されるなど、これまで幾度となく映画、舞台、バレエの題材になってきた名作である。内容は、美しい心を持った女性ベルと野獣に変身した王子との恋の行方を見つめる物語で、心温まるファンタジーロマンスのイメージが強い。が、人気サイト「トカナ」が２０１７年４月７日に配信した記事によれば、「美女と野獣」の本当のテーマは「処女と獣姦」という衝撃的なものらしい。

「美女と野獣」の原作は１７４０年、フランス人作家ヴィルヌーヴ夫人が執筆した後、１７５６年にボーモン夫人によって短縮版が出版されたことで全世界に広まった。過去に数多くの映画人や劇作家によってアレンジが加えられているものの、「異類婚姻譚」であるという点は変わらない。これは、人間と違った種類の存在と人間とが結婚する説話のことで、ギリシャ神話の『キューピッドとプシュケ』や古代ローマ時代のラテン語小説『黄金のロバ』など、古来より神話や寓話などには若い女性と動物に姿を

ディズニーアニメの代表作の一つとして名高い

変えた男性、つまり「美女と野獣」が登場するエピソードが数多く見られる。

20世紀の心理学者ブルーノ・ベッテルハイムは、その著作で昔話を精神分析し、「美女と野獣」が登場する物語は、ナーバスな若い女の子（処女）に結婚を前提としたセックスについて事前に説明する役割を担っていることを指摘しているそうだ。つまり、結婚生活とは野蛮な男性（＝野獣）と一緒に暮らし、セックス（＝獣姦）をするようなものであることを、こうしたおとぎ話であらかじめ「通告」したというのだ。

革命前のフランスでは実際、女子教育の現場で結婚生活の実態を説明するにあたり、このような「美女と野獣」的な寓話を引き合いに出していたといわれている。時代を考慮すればあり得る話なのかもしれないが、名作アニメに、それほど野蛮なテーマが隠されていたとは、にわかには信じがたい。

アルコール依存症、うつ病、殺人、自殺

死刑執行人のその後の人生が悲惨すぎる

悪事を働いた者がいれば、殺して罪を償わせる。「死刑」は、文明が生まれた太古から存在する刑罰で、古くは、壁に埋め込んだり籠に閉じ込めて餓死させる方法もあった。

現在は、日本で行われている絞首刑の他、薬物投与や銃殺刑、また斬首刑などもあるが、死刑には必ず執行人が要る。が、人を死に至らしめる仕事は負担が重く、中にはストレスでうつ病や依存症を発症する者も多い。ここでは壮絶な人生を送った3人の死刑執行人を紹介しよう。

◉ディック・バウフ（アイルランド） 12歳のとき両親が殺人を犯し、その処刑を執行したのがバウフだった。犯行現場に居合わせたのが、執行人に命じられた理由である。この経験がトラウマとなり、その後バウフはスリや追いはぎに手を染め、自分のことを警察に通報した者を生きたまま燃やすなど殺人まで犯すに至る。最後は逃亡先のスコットランドで捕まり、1702年、絞首刑に処された。

◉ウィリアム・カリー（イギリス） 19世紀、窃盗の罪で捕まったカリーに、イギリスに残る唯一の道

として提示されたのが執行人職だった。12年間は真面目に仕事をこなしていたが、その後、酷いアルコール依存症に陥り、仕事に支障をきたすように。囚人5人を1度に絞首刑に処する際、立ち位置を見誤って自分が開閉式の床下へと落ちてしまう事故を起こしたこともあったという。執行人の職を引退した後は、生涯を救貧院で過ごしたそうだ。

◉ジョン・エリス(イギリス) 紡績工、美容師と職を転々としたエリスは、1901年から23年間、死刑執行人の職に就き、合計203回の刑を執行した。が、1924年のある日、1人の女性を絞首刑に処したことが原因で酷いうつ病を発症する。というのも、吊るされた女性の下着が血で真っ赤に染まっており、噂によると彼女は妊娠していたというのだ。引退後は理髪店を始めたり、回顧録を出版するなどして有名になったが、同年に拳銃で自殺未遂。1927年には役者としてデビューし、舞台「チャールズ・ピースの生涯と冒険」で死刑執行人役を演じるなどしたが精神状態は改善することなく、1932年、カミソリで喉を切り裂き自殺した。享年57。

4人の子持ちだったイギリスの死刑執行人ジョン・エリス(上段右端)。57歳のとき、カミソリで喉を切り自殺

クリントン元大統領夫妻の関係者47人が不可解な死を遂げている

夫妻に不利な情報を持った人間が自殺、射殺、突然死

現代の怪談とも言うべき話がある。アメリカのクリントン元大統領夫妻に関係した47人が次々と不自然な死に方をしているというのだ。ここで取り上げるのは、その中でも特に有名な5人である。

◉ジェームス・マクドゥガル（1998年／心臓発作） クリントン夫妻の不動産ビジネスのパートナー。このビジネスには裏があり、後に「ホワイトウォーター疑惑」と呼ばれるようになった。マクドゥガルは不正を訴追され、3年半の懲役刑を受けて服役中に心臓発作で死亡。彼が発作を起こしたとき、刑務所に常設されていた除細動器が使用されていない事実もわかっている。マクドゥガルはクリントン夫妻を訴追しようとした検察官側の最重要証人として裁判に出廷する予定だった。

◉メアリー・マホニー（1997年／射殺） ホワイトハウスの元インターン。クリントン大統領を罷免しようとする検察側の証人として、大統領から受けた性的嫌がらせを証言する予定だった。が、仕事終わりに、銃を頭に突きつけて撃つ「処刑スタイル」で殺された。

ビル（左）とヒラリーのクリントン元大統領夫妻

◉**ジョン・ウィルソン（1993年／自殺）** 20年の政治家経験のあるワシントン評議会元メンバー。「ホワイトウォーター疑惑」の情報を持っていることを明らかにしていた。ウィルソンの首吊り自殺は世間に大きな衝撃を与えた。

◉**エド・ウィリー（1993年／自殺）** クリントン夫妻の資金調達組織のメンバー。バージニアの森で頭を撃って亡くなり、警察は自殺と発表。しかし、ウィリーの妻はインタビューで、クリントン夫妻が夫の死に関係していると思うか聞かれ、「明らかな疑いを持っています」と答えている。

◉**ヴィンス・フォスター（1993年／自殺）** ビル・クリントンの幼なじみ。弁護士となりヒラリーの同僚に。ビルの大統領就任に際して次席法律顧問に招かれ、ヒラリーの様々な疑惑処理に関わった。議会で追及され、ヒラリーに不利な証言を行う予定だったがピストル自殺を遂げる。検視官が後に「自殺と考えるには疑問点が多かった」と証言している。

この他、ボディーガードやセキュリティ担当者、資金調達組織メンバーなどが1993年から数年の間に次々自殺や事故で死亡している。

親族39人のDNAを鑑定して判明
ヒトラーの先祖はユダヤ人だった

手塚治虫の傑作漫画『アドルフに告ぐ』は、独裁者アドルフ・ヒトラーが、ユダヤ人だったということを題材としている。根も葉もない話ではない。1930年、ナチ党がドイツで大躍進を始めた頃から、ヒトラーにユダヤ人の血が混じっているとの噂が立ち、ヒトラー自身も自分の血統に疑問を持っていたという。そこでヒトラーは密かに側近のハンス・フランクに調査を指示。結果、ヒトラーの父は私生児で、母はユダヤ人の疑いのある家で家政婦をしていたことまではわかったものの、事の真偽は不明のままだった。それが21世紀の今になり、科学の力で明らかになったらしい。

調査の根拠となっているのは、ヒトラーの従兄弟（現在オーストリア人となったノルベルト・H）や、甥の息子（現在アメリカ人となったアレクサンダー・スチュアート・ヒューストン）など、血統的にヒトラーの親族だとはっきりしている39人から採取したDNAである。これを鑑定したところ、中にY染色体ハプログループのE1b1b系統が含まれていることが判明したのだ。

なんでもこの染色体は、北アフリカを起源とし、ドイツ人やオーストリア人にはほとんど含まれていないものだという。現在、この染色体を持つ人種は、モロッコのベルベル人やアルジェリア、リビア、チュニジアなどに暮らす人々、そしてユダヤ人。つまりヒトラーの先祖は、ユダヤ人と、北アフリカ人の混血である可能性が高いというわけだ。

ヒトラーが、優生学を理由になぜ反ユダヤを掲げ、ユダヤ人を排斥したのかについては不可解な点が多い。

ヒトラーがまだ若く経済力のない絵描きだった頃、彼の絵を評価し、買い取ってくれたのはユダヤ人の画商たちだった。それが一転、自分にユダヤの血が流れているのかもしれないとの疑いを持ったとき、ヒトラーの中にめらめらと反ユダヤ主義の炎が燃え上がってしまったのだろうか。

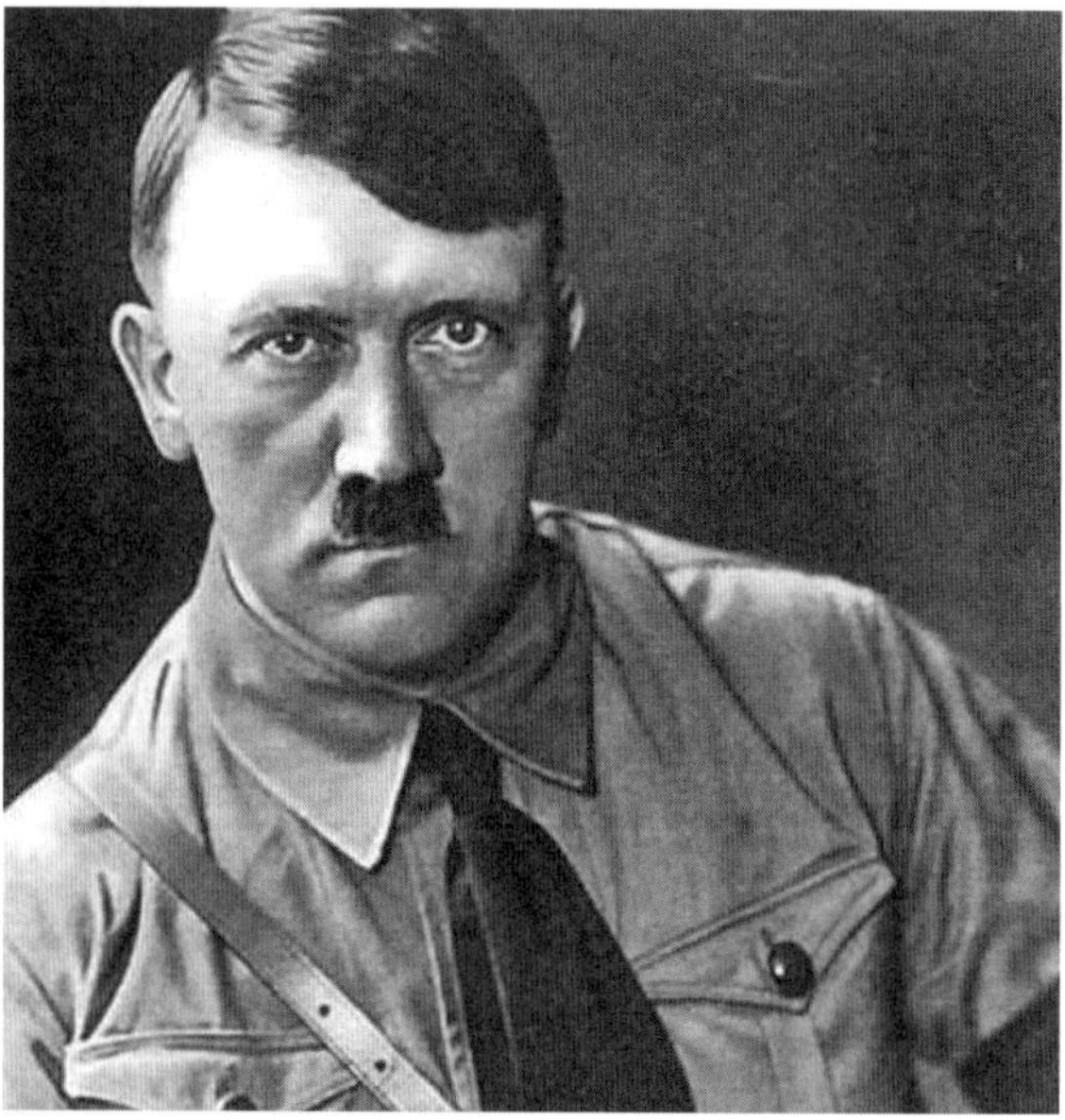

アドルフ・ヒトラー。彼がホロコーストで死に追いやったユダヤ人は、一説には1千万人を超えるという

陸軍長官が「京都に落とせば日本人は敵対する」と大統領を説得

アメリカは当初、京都を原爆投下の第一候補にしていた

「京都は、昔からの文化財がたくさんあるので米軍の爆撃の対象にならなかった」

第二次世界大戦に関して、誰もが一度は聞いたことがある話だ。が、これは事実ではない。確かに本土決戦が現実になって日本各地が激しい空襲に見舞われたものの、京都は小規模な空襲が5回あっただけ。しかしそれは、京都が原爆投下目標地だったため、その前に焼け野原にしないようアメリカが温存していたにすぎない。

米軍の資料によれば、1943年5月、原爆投下の対象を「ドイツ人と比較して、この爆弾から知識を得る公算は少ないとみられる」ため日本に決定。目標としては、トラック島に駐留している日本艦隊や、東京などにする意見が検討された。

それが原爆実験の日が近づいた1945年4月27日、具体的に投下目標を決める段になり作戦の方向が変わる。空襲で破壊され尽くした都市では効果がわかりにくいからと、空襲が比較的少なかった京都

と広島が最優先目標に決まったのだ。

だが、日本に精通していたスチムソン陸軍長官が「京都は天皇に関係の深い古くからの都なので、ここに落とせば長きにわたって日本人はアメリカに友好的な感情を持たなくなるだろう」とトルーマン大統領を説得。7月24日の時点で、原爆投下目標は広島（当時の人口35万）、小倉（同18万）、新潟（同15万）、長崎（同21万）の4都市に絞られた。

8月6日、その中から真っ先に広島が選ばれたのは「広域にわたって破壊しうる規模の広さを持ち、付近に丘陵地があるため〝爆風の集束作用〟が得られる可能性がある」実験地としての条件が整っていること、そして唯一、連合軍捕虜収容所の存在を示す証拠がないことが決め手になった。

トルーマン大統領は悪魔の兵器を使用したことを、次のように自国民に説明した。

「戦争の苦悶を早く終わらせるために、何千何万もの米国青年の生命を救うために原爆を使用した。可能な限り民間人の殺戮を避けたいと思い、軍事基地の広島に投下した」

言うまでもなく大ウソである。

京都市内の梅小路機関車庫を原爆投下予定地として半径4キロの同心円が描かれた米軍資料をグーグルマップで表したもの

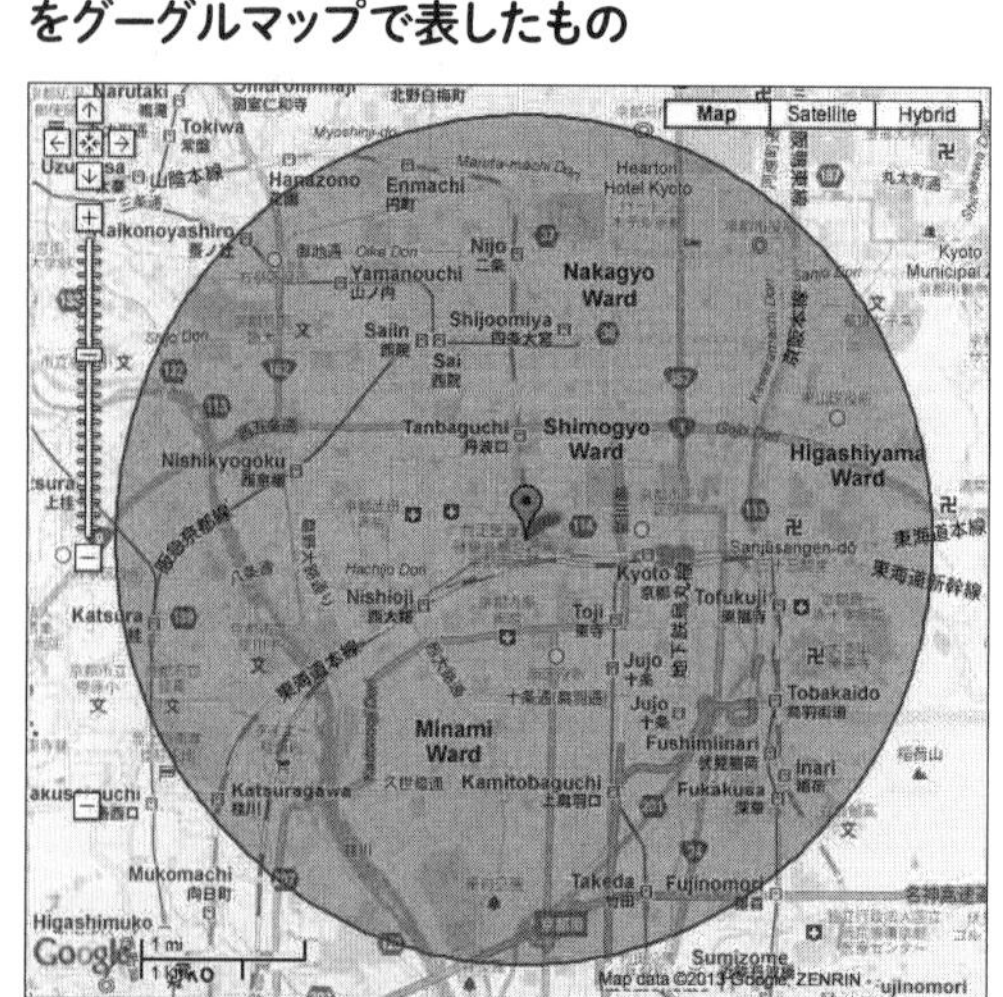

公開できる外国映画は年間34本のみ

中国では「スター・ウォーズ」も「バック・トゥ・ザ・フューチャー」も上映禁止

人口約14億人を抱える中国は、アメリカに次ぐ世界第2位の映画市場である。昨今は、ハリウッドもストーリーに中国を絡ませるなどして公開を狙っているが、中国政府は自国の映画産業を保護するため厳格なガイドラインを設定し、毎年34作品しか外国映画の公開を許可していない。だが、この関門を突破すれば、莫大な収入が期待できる。２０１４年の映画「トランスフォーマー／ロストエイジ」は、大手飲料メーカーの中国版ポスターや地元の街並みなど中国的要素をたっぷり盛り込んだ米中合作として公開され、最終的に１千１８５億円以上の興行収入を上げた。ちなみにこの映画、後に出資企業が自社のロゴや施設映像が少ないとパラマウント映画にクレームをつけ、20億円以上の損害賠償を訴えたと伝えられているが、仮に賠償金を払っても痛くもかゆくもないだろう。

世界的に大ヒットしながらなぜか中国で上映禁止になった映画５本を紹介しよう。

●スター・ウォーズ（１９７７年）

シリーズ第１作の記念碑的作品だが、映画完成の前年に、現在の

中華人民共和国の建国者・毛沢東が逝去したため、西洋の影響で人民が反乱を起こすことを恐れて上映禁止に。

◉バック・トゥ・ザ・フューチャー（1985年） 時間をさかのぼることは歴史に敬意を払っておらず、また過去に戻って未来を書き換えることは許されないと上映禁止。

◉ディパーテッド（2006年） ボストンのギャングが中国人のやくざにコンピュータや武器を売ろうとするストーリーがNGだったようだ。

◉アバター（2009年） 巨額の資金が投じられ、国内映画のシェアを奪う可能性があることと、鑑賞者に暴力を誘発する恐れがあるとして2D版は上映禁止になった。ただし、3D版は全国900ヶ所の劇場で、ごく短期間のみ上映された。

◉ゴーストバスターズ（2016年） ゴーストなどの超自然的存在を中国政府は認めていない。政府の検閲ガイドラインでは、「カルトあるいは迷信を流布」する映画は禁止となっている。

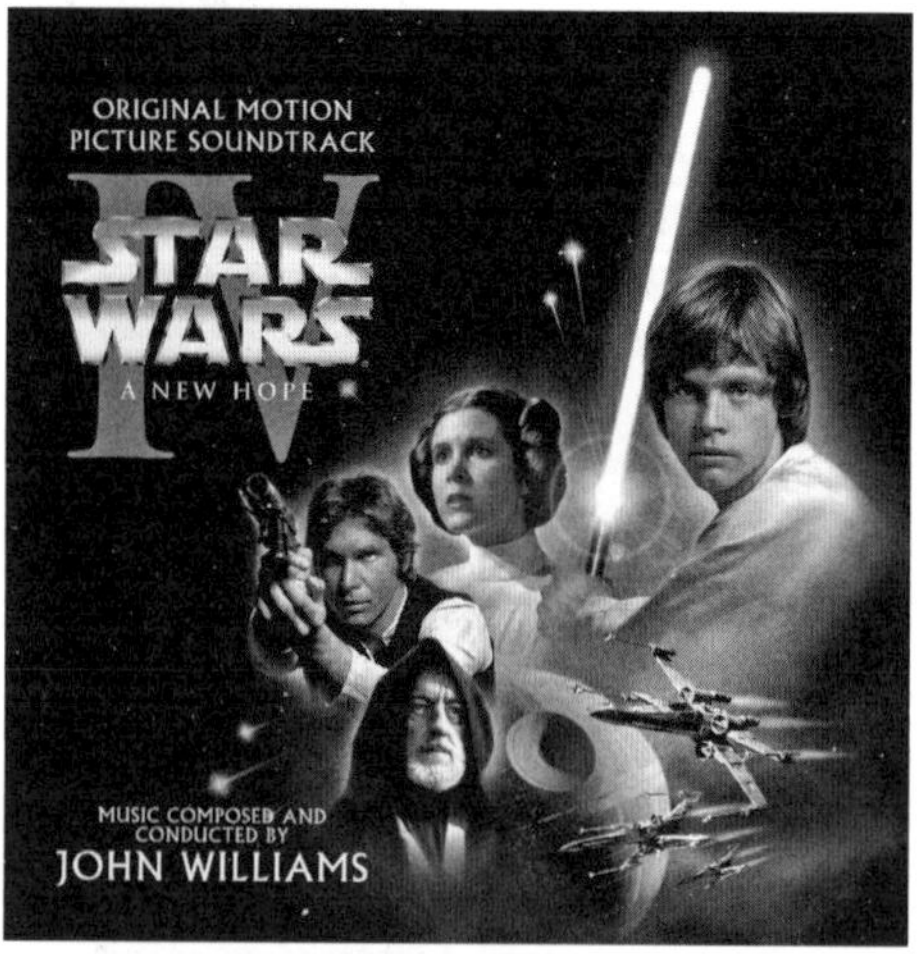

「スター・ウォーズ」第1作は上映禁止だが、2015年公開の「スター・ウォーズ／フォースの覚醒」はアメリカ公開と同時に上映された

レイプ多発国ワースト5の大半は先進国

南アフリカでは全女性の40％以上が生涯で一度は被害に

国を比較するための様々な統計資料を掲示するデータベースサイト「NationMaster」が２０１７年7月、最新のレイプ被害多発国のランキングを発表した（世界１１９ヶ国を対象に、人口10万人当たりの発生件数を統計）。以下ワースト5を紹介すると、

◉5位　インド／被害者は18～30歳が多いが、３分の１は18歳未満、10人に１人は14歳未満。犯人の大半は面識がある人物（隣人、親戚、両親のいずれか）だという。

◉4位　イギリス／同国政府の２０１３年の報告によると、イングランドとウェールズでは、毎年約8万5千人のレイプ被害者が出て、そのうち女性は86％ほど。13～18歳の若年層を対象とした調査では、少女の3分の1、少年の6分の1が性的暴力を経験しており、約10万人の少女が常態的に性的虐待を受けているとの報告も。

◉3位　アメリカ／毎年（12歳以上の）30万人の女性が性的暴力の被害に遭っているが、そのうち70％

レイプに遭っても被害届を出していない女性も多いという実態も

は警察に届け出ていない。また強姦を犯した者の98％が刑務所に送られていないという。

◉2位　スウェーデン／女性の3人に1人が10代で性的暴力を受けた経験を持つ。２０１３年前半には1千人以上の女性がムスリムの移民からレイプされたと報告しており、そのうち約3割は15歳未満だった。

◉1位　南アフリカ共和国／同国に暮らす女性の40％以上が生涯のうちに被害に遭うという世界ワーストのレイプ大国。全被害者のうち41％が未成年で、さらに15％は11歳未満の子供だという。

このランキングで驚くのは、イギリスやスウェーデンなど、紳士的で平和的なイメージの強い先進国が上位に入っている点だ（7位カナダ、6位ニュージーランド）。日本は１０５位と、世界でも極めて性犯罪が少ない安全な国に位置づけられている。

料金は動物の種類によって9千円〜2万円

インドネシアやヨーロッパに存在する「動物売春宿」の惨い実態

2006年、インドネシアのボルネオ島で、1頭のメスのオランウータンが保護された。ポニーと名づけられた6〜7歳のオランウータンが暮らしていたのは村の売春宿で、鎖に繋がれ、人間の男性相手に体を売らされていたのだという。

売春宿には人間の女性も働いていたが、物珍しさからポニーを指名する客が多く、彼女は1日おきに毛を剃られたうえイヤリングやネックレス、指輪で飾られ、見るに堪えない状態だったそうだ。しかも、男性係員が保護しようと近づくと、マットレスに寝そべりながら背を向け尻を突き出し、まるでセックスを誘うような仕草をしたというから切ない。

こうした「動物売春宿」は世界各地に存在し、東欧の国セルビアの首都ベオグラードにも、ヤギやヒツジ、ロバ、イヌ、ネコ、ガチョウ、ウシなどを揃え、男性客を呼んでいる施設があるという。各国からやってきた客は、動物の種類によって約9千円〜2万円を支払い、さらにオプションでハメ撮り写真

の撮影もできるそうだ。

また、つい最近まで〝獣姦無法地帯〟と言われていたのが北欧のデンマークだ。ドイツやノルウェー、スウェーデン、イギリスなどヨーロッパ各国では獣姦は厳罰だが、デンマークには動物売春宿だけでなく獣姦ショーを見せるクラブまで存在した。ヨーロッパの獣姦愛好家たちは動物との性行為を目的としたデンマーク旅行を「アニマル・セックス・ツーリズム」と呼び、せっせとデンマークに通っていたらしい。

動物売春宿で飼育される動物たちは、自ら性的刺激を求めるよう何年にもわたって調教されるうえ、人間を相手にした局部は目も当てられないほど破壊されてしまう。こうした事態を問題視したデンマーク当局は、2015年、獣姦禁止法案を可決。動物と性交して有罪となった者には罰金や懲役刑が言い渡されることになった。

行き場を失ったマニアが次に狙っているのは、獣姦禁止法のないハンガリーやフィンランド、ルーマニア、そして日本だという。

インドネシアの売春宿で体を売らされていたオランウータンのポニー

モサドもMI6もCIAも人手不足

世界の諜報機関は一般からスパイを募集している

2012年、かつては世界最強ともいわれたイスラエルの諜報機関「モサド」が、スパイの募集を開始したとして話題になった。職種は特殊活動、インテリジェンス業務、コンピュータ、語学、警備、兵士など様々で、学歴、年齢、経歴は不問。イスラエルでは、諜報能力の低下が国内で批判されており、特にイラク戦争時、大量破壊兵器について有力な情報を得られなかったことが問題視され、従来の要員だけでは十分ではないと判断、外部からの登用に踏み切ったそうだ。

スパイを一般から公募するなど特例中の特例かと思いきや、各国の諜報機関ではもはや常識らしい。希望者の減少やインターネットの普及、経済のグローバル化、金融システムの高度化などによって、古くからの諜報組織では対応できなくなっているからだ。

ジェームズ・ボンドで有名な英国秘密情報部（MI6）は、かつては名門オックスフォード大学とケンブリッジ大学に諜報活動担当の教授を置き、能力があると見込んだ学生を密かに採用していたそう

画像はアメリカの諜報機関CIAのシンボルマーク

だ。ＭＩ６に採用された学生は、一般の学生と同じように大学を卒業し、官庁やロイターなどの通信社に就職して秘密裏にスパイ活動に従事。不採用の学生についても、面接をしたこと自体が秘匿されたという。が、最近では任官を拒否する学生も多く、人材難が指摘されており、ＭＩ６もモサドと同様、外部から人材を募っている。募集職種は事務と作戦要員、分析要員、語学専門家、技術の５つで、英国籍、21歳以上、過去10年間に５年以上英国在住であることが条件らしい。

アメリカの諜報機関ＣＩＡは、大学の教職員の協力を得て、優秀な学生やＣＩＡに興味を持っている学生をリクルーティングしており、ロシアの国内秘密機関ＦＳＢに至っては、ホームページで二重スパイを一般から募集したこともある。

スパイの世界も、人手不足は深刻な問題のようだ。

蕎麦1杯と同じ価格で遊べた「夜鷹」の存在

江戸時代の街娼は紙くずより安い金で売春していた

近頃のテレビや週刊誌は、政治や経済、社会ネタより、芸能人や有名人の不倫報道を優先する傾向にある。事が発覚した政治家やタレントは世間から糾弾された挙げ句、実績や収入を喪失。一般の夫婦も不倫が原因で離婚に至るケースが少なくない。

だが歴史的には、日本人が性に関して潔癖さを求めるようになったのは明治以降のこと。江戸時代は、良く言えば奔放、悪く言えば野放図だった。

江戸時代は、不倫＝不義密通は男女ともに死罪という重罰が定められていたが、奉行所を通さず、「首代」と称する内済金（示談金）を支払って解決するのが一般的だった。事案が多すぎるため、奉行所がいちいち対処できなかったのが実情らしい。

肝心の首代は、当初5両だったのが、物価変動に従い7両2分に値上がりしたが、現在の貨幣価値に直せばいずれも100万円前後といったところ。ただし実際は、もっと少額で解決されることが多かっ

たという。

不倫以上にお手軽だったのが風俗だ。江戸では売春が合法のため、売る側も買う側も、世間一般も売春に対して罪悪感や抵抗感はなく、かなりの数の遊女が存在した。

現在の性風俗はバラエティに富んだサービスが売りだが、当時は本番一本。ただし、業務形態や地域、店によって料金はピンキリで、同じ吉原の店でも遊女のクラスで料金は大きく異なった。初期の頃なら、太夫・格子・花魁・散茶・端・局・梅茶などの階級があり、太夫なら金1両（約20万円）が相場。しかし、太夫を呼ぶと10人ほどの妹分を連れて座敷にやってくるため、人数分の飲食代、ご祝儀、さらに芸者や幇間（ほうかん）への玉代（代金）、料亭の亭主や女将、仲居へのご祝儀などでプラス10～20両。2回目も宴会で、初回の1・5倍ほど包み、3回目でやっと床入り。今度は特別なご祝儀が必要で、太夫と寝るまでには50両、つまり1千万円ほど必要だったという。

対し、大衆店では200文（約5千円）で遊べ、日が暮れてから道端に立つ〝夜鷹〟と呼ばれた街娼にいたっては、蕎麦1杯と同じ、たったの24文（約625円）。江戸時代は紙が貴重品で、竹籠2杯分の紙くずが200文だったというから、街娼より紙くずの方が約8倍も高かったのである。

画家、月岡芳年が描く〝夜鷹〟。いわゆる街娼である

2番目の妻が離婚裁判の法廷で喜劇王の性的嗜好を暴露

「フェラチオ」という言葉を広めたのはチャップリン

喜劇王チャップリンは生涯4回結婚し、そのうち3回は相手の女性が10代だった。とにかく若い女が好き、というよりロリコンで、2番目の妻リタ・グレイと知り合ったのは彼女が映画「キッド」(1921年公開)に子役として出演した12歳の頃。本作で監督・主演を務めていたチャップリンはリタにぞっこんになり、すぐに性的関係を結んだと言われている。その後、リサが16歳のとき2人は結婚、2子を授かるものの4年後に破局。その離婚裁判で、彼女は「夫からフェラチオを強要された」と発言する。フェラチオはラテン語で、当時のアメリカにそんな言葉は存在すらしなかった。とはいえ、ペニスを口で愛撫する行為自体は秘かに誰もが楽しんでいたのも事実。リタが法廷でチャップリンの性的嗜好を明らかにしたことによって、フェラチオは市民権を得て、その後、世間に広まっていく。

チャップリンと、2番目の妻リタ

相手に思いやりのない不適切な行為と見なされる

剣道で一本を決め ガッツポーズをすると一本取り消し

剣道は、原則として二本先取した方の勝ち

サッカーでゴールを決めた選手は、喜びを全身で表す。サポーターに駆け寄ったり仲間と抱き合ったり、時にはガッツポーズで自分のプレイを誇示する者もいるだろう。が、あらゆるスポーツにおいて、勝利のガッツポーズが許されない競技がある。剣道だ。「剣道試合・審判規則」にこんな一文がある。「試合者に不適切な行為があった場合は、主審が有効打突の宣告をした後でも、審判員は合議の上、その宣告を取り消すことができる」。つまり、選手が一本を決め審判が手を挙げても、その選手がガッツポーズなどのパフォーマンスを行えば、相手に思いやりのない不適切な行為と見なされ、一本が無効になってしまうのだ。礼節を重んじる剣道ならではの規定だが、少し重すぎる気がしないでもない。

2代目は影を作って笑い、3代目はドヤ顔

昔のビスコ坊やが怖すぎる

誰もが子供の頃、口にしたことのあるお菓子、江崎グリコの「ビスコ」。ほんのりレモン風味のクリームを、あっさりプレーンなビスケットでサンド。口に入れるとほろほろ溶け出し、どこか懐かしい素朴な味わいで今も変わらず人気の商品だ。が、パッケージに載っている男の子「ビスコ坊や」が、実は5代目だと知っているだろうか?

2013年、発売元の江崎グリコが、ビスコ誕生80周年を記念して歴代のビスコ坊やを公開した。

衝撃的なのが初代の坊やだ。スポーツ刈りに細い目。左半分に影の入った顔は、子供とは思えないニヒルさで、今の感覚からはとても可愛いとは言えない。3代目のドヤ顔は、高度成長期という時代を反映している?

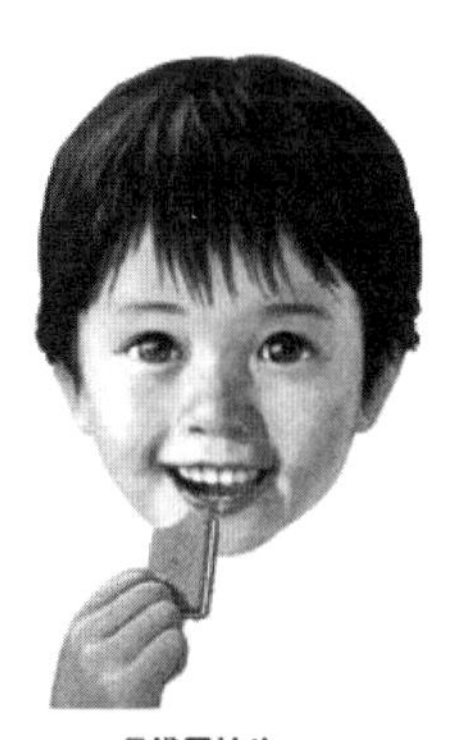

5代目坊や
平成17年〜

2代目坊や
昭和26年〜

初代坊や
昭和8年〜

4代目坊や
昭和57年〜

3代目坊や
昭和31年〜

影を作って笑う2代目もかなりのインパクト

打ちやすいモールス信号を組み合わせただけ

「SOS」は、略語でもなければ意味もない

実際には意味は大ありだが……

世界中で用いられるモールス符号の遭難信号で、一般的には救助や助けを求める際の合図として使われる「SOS」。何かの略語かと思いきや、特に意味はないという。

モールス信号は短点（・）と長点（━）を組み合わせてアルファベットや数字、記号を表現するもの。遭難信号となれば、何より打ちやすいことが最重要だ。

そこで、3短点、3長点、3短点（・・・━━━・・・）の信号で構成される「SOS」が考えられた。打ちやすい上に混信等で情報が遮断されにくいというのが理由で、1906年に開催された第1回万国無線電信会議で提案された（その前は「CQD」が使われていた）。

ちなみに、1912年に沈没したタイタニック号も、遭難した際にSOSを打電していたという。

知らなきゃよかった!
本当は怖い雑学150

2020年2月21日　第1刷発行

発行人　稲村　貴

編集人　尾形誠規

編集スタッフ　木村訓子

発行所　株式会社　鉄人社
〒102-0074 東京都千代田区
九段南3-4-5 フタバ九段ビル4F
TEL 03-5214-5971　FAX 03-5214-5972
http://tetsujinsya.co.jp/

デザイン　鈴木　恵（細工場）

印刷・製本　大日本印刷株式会社

参考元

総務省統計局　NHKニュース　朝日新聞　毎日新聞　日本経済新聞　カラパイア
ダイヤモンド・オンライン　みずほ総合研究所　トカナ　NAVERまとめ　ロケットニュース24
Exciteニュース　ナショジオ NATIONAL GEOGRAPHIC日本版　CBC News　TIME　日刊SPA!
デイリー・ミラー　幻冬舎ゴールドオンライン　ビジネスジャーナル　テレグラフ　フォーブス　BLOGOS
NewSphere　まいじつ　スラド　そよかぜ速報　zakzak　海外の万国反応記　ナリナリドットコム
ダ・ヴィンチニュース　ウィキペディア　あなたの健康百科　ライブドアニュース　TABI LABO　ailovei

その他多くのサイト、資料を参考にさせていただきました。

ISBN978-4-86537-182-6　C0076　

本書へのご意見・ご要望は直接小社までお願いします。

第5章 知らなきゃよかった！本当は怖い心理実験でわかった人間の本性

第4章 知らなきゃよかった！本当は怖い未来予想

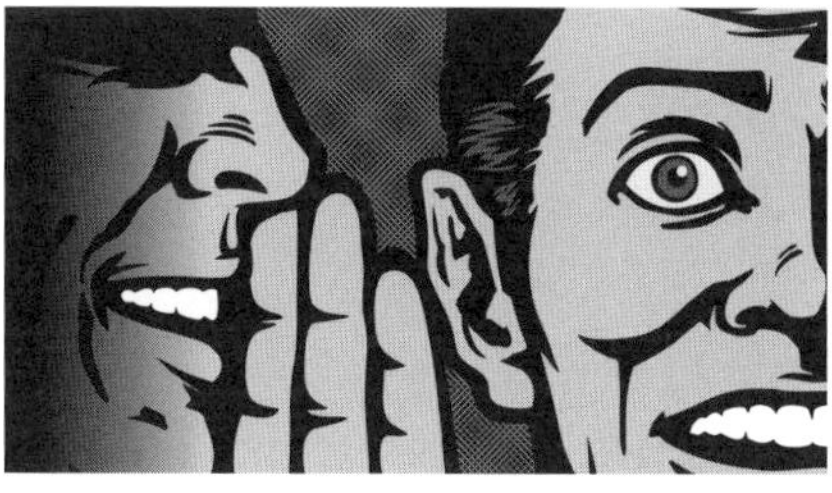

第3章 知らなきゃよかった! 本当は怖い実はウソ

第2章 知らなきゃよかった！本当は怖い人体

知らなきゃよかった！本当は怖い雑学150
目次

第1章 知らなきゃよかった！本当は怖い日常生活

我々が暮らす日常社会の知られざる真実、
あっと驚く人体の不思議、長年信じられてきた定説のウソ、
背筋が凍るリアルな未来予想、心理実験でわかった
人間の本能と本性[illegible]率、交通死亡事故者数など
全国47都道府県[illegible]キング。
あなたの常識[illegible]雑学150本!

知らなきゃよかった!
本当は怖い雑学 150

鉄人社編集部【編】

TETSUJINSYA